スライム倒して300年、
知らないうちに
レベルMAXになってました
She continued destroy slime for 300 years
12
Morita Kisetsu
森田季節
illust. 紅緒

UFCなんていないよ!
今、論理的に説明するね
あれは雲だよ!

間違いなく知的生命体
UFCは存在する
これからシャルシャが証明する

高原の魔女
アズサ

死者の王国の悪霊
ナーナ・ナーナ

勝負アリですね

レッドドラゴン女学院
Red Dragon Women's Academy
スライム倒して300年、知らないうちにレベルMAXになってました
—スピンオフ—
あっ……❤

Contents

Story by Morita Kisetsu Illustration by Benio

She continued destroy slime for 300 years

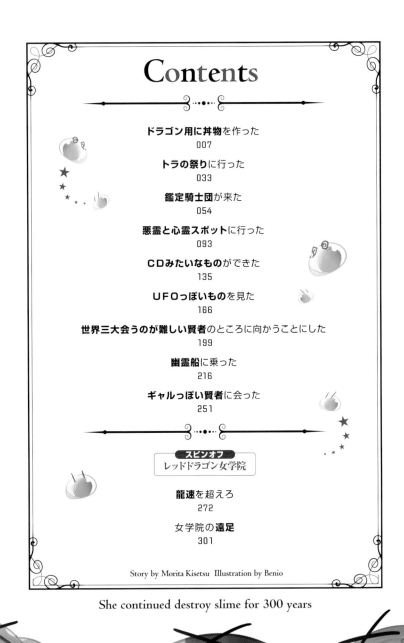

スライム倒して300年、知らないうちにレベルMAXになってました12

Morita Kisetsu
森田季節

illust. 紅緒

アズサ・アイザワ（相沢 梓）

主人公。一般的に「高原の魔女」の名前で知られている。
17歳の見た目の不老不死の魔女として転生してきた女の子（？）。
いつの間にか世界最強になっていて大変な目に遭いもしたが、
そのおかげで家族が出来てご満悦《まんえつ》。

継続はパワーなり。
継続できることしかしません！

ごきげんようお姉さま。
さぁ、拳で語らいましょう！

ライカ

レッドドラゴンの娘で、アズサの弟子。最強の高みを目指し、
毎日コツコツ努力する頑張り屋の良い子。ゴスロリやメイド服といった
ふりふりな服がとても似合う（本人は恥ずかしがる）。
本書掲載の外伝「レッドドラゴン女学院」の主人公。

ファルファ&シャルシャ

スライムの魂が集まって生まれた精霊の姉妹。
姉のファルファは自分の気持ちに
正直で屈託《くったく》がない子。
妹のシャルシャは心づかいが細やかで
気配りが出来る子。
二人ともママであるアズサが大好き。

ママー、ママー！　ママ大好き！
……体は重くとも、心は軽くあるべき

さぁ、今日は
何を食べましょうかね♪

ハルカラ

エルフの娘で、アズサの弟子。
キノコの知識を活かし会社を経営する
立派な社長さんなのだが、高原の家では、
ところ構わず〝やらかし〟てしまう
一家の残念担当に過ぎない。

ベルゼブブ

ハエの王と呼ばれる上級魔族で、魔族の農相。
ファルファとシャルシャを
まるで姪っ子かのように愛でており、
魔界と高原の家を頻繁に行き来している。
アズサの頼れる「お姉ちゃん」。

わらわの名はベルゼブブ！
魔族の国の農相じゃ!!

フラットルテ

ブルードラゴンの娘で、アズサに服従している。
レッドドラゴンのライカとは、
同じドラゴン族なので何かと張り合うが、
根は楽天的で元気な女の子。
ライカと違って人型の時も尻尾がある。

レッドドラゴンと
馴れ合う気はないのだ！

アタシ、姐《ねえ》さんに
ずっとついていきます！

ロザリー

高原の家に住む幽霊少女。
幽霊である自分を遠ざけず、
手を差し伸べてくれたアズサに心酔している。
壁を抜けられるが人は触れない。
人に憑依する事も可能。

サンドラ

マンドラゴラの女の子。三百年育った末に
意志を持ち動くようになった存在。
れっきとした植物で、高原の家の
家庭菜園に住んでいる。意地っ張りで
強がっている事も多いが、寂しがりな一面も。

私は庭に生えてる
だけだからね！　がお～！

ムーム・ムーム

略称はムー。悪霊たちの国「死者の王国」の王にして、滅亡した古代文明の王でもある。ノリの悪い民（悪霊）に愛想を尽かして引きこもっていたものの、アズサとロザリーと触れあったことで社会復帰（?）した。ノリツッコミ好きな関西人的性格。

おもろかったらなんでもアリなんや
おもろい奴が最強やからな

陛下、ずいぶんと小心者ですね
王たる者にふさわしくないですよ

ナーナ・ナーナ

「死者の王国」のメイド長兼大臣。側近としてムーの世話をしている。真面目で有能なのだが、毒舌で、人の嫌がる事が大好きな困った性格。ムーやアズサの嫌がる事、弱味を見つけては遠回しに嫌がらせをしてくる。

キュアリーナ

クラゲの精霊で放浪の画家。水に揺られるクラゲのように、世界中をあてなく放浪している。陰気で重いテーマと、凄惨で暗い画風を特徴としており、魔族や一部の物好きに高い評価を受けている。

クラゲは透明だからこそ
醜いものがたくさん見えるんですよ

ドラゴン用に丼物を作った

She continued destroy slime for 300 years

その日、私は王国の南部のほうに薬になりそうな植物の採取に来ていた。
植物のほうは順調に集まっていると言っていいんだけど——

「うぅ……汗が出て、だるいのだ……」


フラットルテがぐったりしていた。尻尾もいつも以上に垂れている気がする。

「フラットルテ、大丈夫……？　あまり大丈夫でもないと思うけど」

ここまでフラットルテのテンションが低いのはレアケースと言っていい。

「アズサ様、これはフラットルテの自業自得ですから気にしなくてもいいです。暑い地方なのに自分からついてくると言い出したのですから」

私の横を歩くライカがあきれながら言った。

冷たいことを言ってるようだが、出発前にさんざん、

「いや、今回は南国ですから、向いていませんよ。どうせ疲れたなどとすぐに言い出しますよ。無理しなくていいです」（ライカ）

「大丈夫だ。それに今日は暇なのだ。ついていく！」（フラットルテ）

――などとやりあっていた経緯があるので、こういう態度になるのもやむをえないか。

「フラットルテ、そんなにくたくたなんだったら休んでていいよ？」

なんか、仕事先についていくと駄々《だだ》をこねて、来たら来たでつまらないと言い出す子供みたいだ。

ファルファやシャルシャはどこに行ってもそれなりに興味を示すし、サンドラはそもそも旅行に興味がないので来たがらないから、ほぼそんな経験ないけど。

「ご主人様、くたくたってほどではないです。ブルードラゴンは強いので、これぐらいへっちゃらです。炎の精霊でも太陽でも、どんと来いです！」

「太陽はさすがに死ぬでしょ」

休むかと聞いたら強がるし、ややこしいけど、体力的に余裕があるのは事実のようだ。フラットルテの体が氷でできてるわけじゃないしね。

「ただ……空気がべたべたしてて、汗も出てきて、気持ち悪いです……」

ああ、そういうことか。

「すごく、ゆっくり攻撃されてるような不快感があります……」

「言いたいことはわかるよ……。私も汗かいてるし……」

この湿気の多さ、日本の夏に近いものがある。からっとしてれば、日陰に入るだけで一気に涼しくなったりするのだが、湿気が多い暑さは逃げ場がないのだ。

その点、高原の家は高原にあるだけあって、すがすがしい。

三百年住んでるせいで、それが当たり前になってしまってたけど、南方にやってくるとそのありがたみがよくわかる。

「まったく、情けないですね。フラットルテは忍耐力がないんです。暑さに弱い種族とはいえ、もう少しは我慢というものを覚えるべきで――」

「ご主人様、もうメシにしましょう！　たくさん食べればバテるのも解消できるのだ！」

「よく食べて、暑さに負けない体を作るのも大切ですね。アズサ様、食事にしましょう」

食事に関してはドラゴンの意見が一致した！

見た目が女子でも、運動部の男子学生より食欲があるからな。ドラゴンという巨体を維持するためには、それも当然のことなんだろう。

「そうだね。私の仕事は一段落してるし、レストランを探そうか」

◇

私たちは近くの町に移動して、大衆食堂的な店に入った。

「我はこの土地の料理はまだよくわかりませんね。仕方ありませんから、このページのものをすべてもらいましょうか」

「じゃあ、フラットルテ様は、その次のページのメニューをすべて注文するぞ」

「ほんとに気前良く食べるね……」

過度に体重を気にしてダイエットするぐらいなら、ばくばく食べたほうがいいと思うけど。

注文を受けに来た店の人があきれていた。普通はあきれるだろう。

メニューってページ単位で発注するものではない。

「お客様、当店の人気メニューを一位から十位まで食べないと帰れないとかいう遊びをしてたりしますか？」

「違います！　ただ食べ盛りなだけです！」

「なるほど……。あの……そちらのページは定食になるので、全部にライスとスープがついてきてしまいますが、よろしいですか？」

ああ、それは確認するよね。

あと、この土地はお米がとれるらしいので、ライスになるらしい。店によっては、パンにするか選べるところもあるだろうけど、この店はライスだけだ。

ただ、そのあとの展開はだいたい読めていた。

「フラットルテは問題ない！　それで持ってくるのだ！」

やはり、そういう結論になったか！

少しぐらい炭水化物が増えてもドラゴンは気にしない。

むしろ、単品でおかずを注文すると、主食が足らなくなる。

スープに関してはそんなにいらないのではと思うが……汗もかいてたらしいし、水分補給と考えればいいいか。

注文は通ったので、あとは来るのを待つだけだ。

なお、私は鶏肉とお米を混ぜて焼いたような料理にした。おそらくエスニック的な味付けのが出てくる。過去に来た時に、味の傾向はだいたいたい把握した。

そして、料理が出てきた。

同時に追加のテーブルも出てきた。

そうしないと、フラットルテのライスとスープが置ききれないからだ……。

ほかのお客さんのほうから「大食い大会か？」なんて声がした。そんなに間違ってない。

「よし、これで暑さに負けない体を作るのだ！　さらにアタシは強くなるのだ！」

調子のいい解釈をして、フラットルテはがつがつ食べ出した。

私は自分用のエスニック風味の料理をゆっくりと食べる。そんなにゆっくりではないかもしれないけど、フラットルテがハイペースで食べているので、相対的に遅く見える。

あと、ライカは食べ方はお行儀よかったが、一口ごとの量が多くて、食べ進むのも速い。

「これはシーフードのあんかけですね。高原の家ではあまり食べないので新鮮です。こちらは魚のフライですね。身がふっくらしていますね。この小麦粉の皮で包んだ料理もおいしいです。このスープは少し独特の酸味がありますが、次の料理が進みますね」

「ほれぼれするほど、よく食べるよね」

お金には困ってないが、少しスライムを倒すペースを上げて、魔法石を集めたくなってきた。

一方で、フラットルテのほうからは、やけにくちゃくちゃという音がした。

正直、気になる。しかし、フラットルテが普段の食事からくちゃくちゃ音をさせてた記憶はないから、テーブルマナーの問題というより、食品の問題なんだろう。

「ううん、くちゃ、このライスというの……くちゃくちゃ……粘りけが、くちゃ、あるな」

「フラットルテ、食べながらしゃべるのはナシね」

フラットルテは一度、ごっくんと口の中のものを呑《の》み込む。

「表面上はぱらぱらしてるようだけど、噛《か》んでいくと粘ってくるんですよ。パンほどノドは渇かないですけど」

ごはんに慣れてない地域の人の感想だと思った。

とはいえ、ここのライスは日本米などと比べると、細長いパサパサ系の米を使ってる。だから、前世が日本人の私にはそこまで粘りけは強いとは感じない。

けど、それでもフラットルテにしたら、粘っている感覚があるらしい。

「そういや、私たちの土地だと、あまりお米って食べてないよね」

厳密には「食べるスライム」とほぼ同時に作った「葉っぱスライム」がお餅的なものだったんだけど、お米の使い方が全然違うし、品種も違うと思う。

もはや私の中にもお米をがつがつ食べるという意識は抜けていた。

「稲は寒冷地には実りづらいようですからね。ライスをパンの代わりにしているのは南方が多いですね」

ライカが解説を加えてくれた。

「ああ、たしかに」

日本だと北海道《ほっかいどう》でもお米が育ってたけど、あれ、品種改良をした結果だしな……。稲のほうも「えっ？　こんな寒いところで僕たち育てられるんですか？」ってビビったと思う。

もっとも、知識として持っていても、ライカもライスを食べ慣れている様子はない。

私もスプーンにライスを載せる。

そのライスの上で、油で炒められて、てかてか光っている米粒を見て、ふと思った。

前世では、お米を何度も何度も、回数がわからないほどに食べてきた。

そろそろ、この世界でもお米料理を試してもいいんじゃないだろうか。

自分にとって、お米がなつかしいというのもあるが――

がつがつとライスの皿を空にしているフラットルテと、黙々と食事をこなしているライカの姿を見ていると、パンよりもお米が似つかわしいんじゃないかという気がしたのだ。

しかし、ただ、パンをライスに変更しましたっていうのではインパクトも弱いし、受け入れられないだろう。私も三百年パン食をやってきている。パンかライスか選べるとなれば、パンを選んじゃいそうだ。ほかの家族ならなおさらだろう。

お米を使った、お米でしかできない料理にする必要がある。

「ご主人様、もうおなかいっぱいですか？　アタシがもらいますよ」

「いや、まだ入る……。満腹で手が止まったわけではないから……」

スプーンの上のお米にじっと視線を送る。ヒントになるものがないだろうか。

お米の中に鶏肉が混じっていた。

「あっ！　そうか！」

頭の中のひらめきが実を結んだ。早速、高原の家に戻ったら実行しよう。

「アズサ様、何かその料理といい組み合わせがありましたか？　追加の注文をいたしましょうか？」

「ライカ、私はこの料理だけで十分だから！」

ドラゴンは食べることに関しては一切の妥協を見せないな。

しかし、そんなドラゴンの姿も自分の連想につながったのだ。

「あとで、お米を売ってるお店に行ってみるよ」

「ほほう。稲も薬草として使えるのですか？」

「そういうわけじゃないんだけどね。食品として見てみたいなって」

でも、ゲームによってはおむすびをゲットすると体力が回復したりしていたし、お米が薬草のようなものという認識は日本にもあったのだろうか……？　ケガした人間がおむすび食べて回復するのって、冷静に考えるとおかしいけど。

私が自分の食事を終えた時には、ドラゴン二人はデザートのフルーツを食べていた。

「フルーツ見てるだけでおなかいっぱいになりそう！」

お店を出る時、お店の人から「また、いつでもいらっしゃってください」と笑顔で言われた。

とんでもない上客だと認識されている……。


私はお米を扱っている店に行き、ほどよい粘りけの品種を選んで購入した。

ドラゴンがいてくれてよかった。いくらでも持って帰れる。

高原の家の近くでは入手できないし、少し多めに買っておく。

炊飯器なんて便利な家電はないので、釜も一つ買う。あとは、試行錯誤でよい炊きかげんを覚えることにしよう。

「ご主人様、ライスを家でも食べるんですか？」

「そうだよ。ちょっとやりたいことがあってね。今まで主食ってパンだけだったでしょ。なんていうのかな、ライスが主食のほうがしっくりくる料理を作るんだ」

たまには、お米を口で嚙むのも悪くない。

「じゃあ、今度からパンとライス両方つくわけですね。食べがいがあります！」

「そういう意図ではないから！」

パン・オア・ライスではなく、パン・アンド・ライスということか……。

◇

高原の家に戻った私は、早速、キッチンでメニュー開発に着手した。

開発といっても、完成品はすでに脳内にある。

あとは、この世界にある材料で、いかにそれに近づけるかだ。

「うっ……。米に芯があるぞ……。これじゃ出汁《だし》がしみ込まないな……。出汁もあまりいい味が出てない気がする。こっちのほうも衣が硬すぎる。これだと、口の中でケガするな。揚げる温度を間違ってる？」

ちょくちょく、家族が何をしているのかのぞきに来たけど、説明がややこしいので、新メニューを考えてますとだけ言った。この世界にないものを口頭で説明してわかってもらうのは難しい。

一方で、毎日の料理当番は別にある。当番のハルカラがキッチンに来て、野菜を洗い出した。

「お師匠様、ここ最近で一番熱心ですね～」

「薬を作る魔女として、それでいいのかという気もするけど、事実なんだろうな……」

かなりの気合いを入れて、新メニューに取り組んでいるのは確かだ。

「私のほうはサラダなので簡単です。せいぜい、毒キノコが入らないように気をつけるぐらいですね」

ハルカラのサラダには生で食べられるキノコも入ることがある。

「でも、ハルカラのサラダ、けっこう好評だよね。娘たちもしっかり食べてるよ」

ファルファもシャルシャもそんなに野菜は好きじゃない。それはドラゴンの二人もそうだ。ドラゴンの二人の場合は、野菜が嫌いというより、おなかにたまらないから肉のほうがいいということのようだけど。

「多分、わたしの特製ドレッシングのせいでしょうね〜。ついつい、サラダに手が伸びるようにドレッシングに一工夫してるんですよ！」

ハルカラはドヤ顔している。野菜のおいしい食べ方は、エルフだけに詳しいのだろう。

「ふうん。ちなみに、その秘伝のドレッシングはどうやって作ってるの？」

「秘伝なのにすぐに聞くんですか⁉　でも、隠すほどのことじゃないから、教えますね」

ガチの企業秘密ということはないらしく、あっさり種明かししてもらえるようだ。

ハルカラは普段から私たちが使ってるドレッシングのビンを出した。

「これが、いつものドレッシングですよね」

「うん、定番中の定番のやつだね」

フラタ村でも売ってるほんのりオレンジ色のドレッシングである。

続いて、ハルカラはキッチンの棚からまた何か出してきた。

そのビンには黒いものがたっぷり入っている。

ビンのラベルには「エルヴィン」という名前と、エルフのおじさんが右手を出してあいさつしている絵が描いてあった。

「エルフの食生活の強い味方であるこのエルヴィンを、ドレッシングにちょろっと足すんです。すると、一気に味に深みが増すんですよ！」

「ああ、エルヴィンを使うのか！」

エルヴィン――それは醤油《しょうゆ》によく似た、マメ科植物を発酵させて作った調味料だ。エルフ独自の調味料らしく、私もハルカラに初めて教えてもらった。

………待てよ。

醤油によく似た調味料か。

それなら、私がやろうとしている計画を大きく前進させてくれるんじゃないか？

「ハルカラ！」

私はぎゅっとハルカラの腕をとった。


「お師匠様……ついに禁断の家庭内の恋愛に……っ？

わたしはすべて受け入れます！」


受け入れるの早いな……。

なんか勘違いされてるけど、面倒だからツッコミはしません。

「このエルヴィン、もっとない？」

「あ、はい……。もはやそういうのじゃないとか弁解することすらしないんですね……。三本ほど

未開封のがありますし、試作品用に使ってもらってもいいですよ……」

私は早速、エルヴィンを使って、出汁やタレを作ることにした。

やはり、それまでの試行錯誤と比べると、一気に正解に近づいた気がする。醤油的な味付けとお米は仲がいい。

——そして、試作を重ねること、一週間。

「これだ」

私はこの世界にお米料理を爆誕《ばくたん》させた。

……もっとも、魔族の世界に似たものがあったりするかもしれないが、それは偶然の一致だからノーカウントとします。

魔族たち、何を作ってても不思議ではないからな……。カレーみたいなものも、ラーメンみたいなものもあったし……。

◇

私はランニングを終えて、ダイニングに入ってきたドラゴン二人に声をかけた。

「ねえ、ドラゴン二人に試食してもらいたい料理があるんだけど、いいかな？」

「今から参ります、アズサ様」

「もし、時間がかかるようだったら、それまでそのへんを走って時間をつぶすのだ」

ライカからもフラットルテからも快諾を得られた。

二人はダイニングで楽しそうに待っている。

こっちの準備もちゃんとできているので、すぐに調理にとりかかる。

「アズサ様、ちなみにどんな料理なのでしょうか？」

ダイニングからライカが尋ねる。

「ずばり、お米を使った料理だよ」

「やはり、そうでしたか。近頃、お米で実験をされているのは目にしていたので」

利口なライカには、なかば知られていたらしい。

そりゃ、一週間、キッチンを使っていれば知られないほうがおかしいか。

「おっ、いい匂いがしてきたのだ！　これ、エルヴィンも使ってますね。あと、卵料理らしき匂いもしますね」

一方、フラットルテのほうは野生の勘みたいなもので内容を見抜きかけている……。

「いつも、二人ともたくさん食べるでしょ。だから、がっつり食べられて満足できるような料理ができないかと考えたの」

「そうですね……。我も量は多いほうが……その、うれしいです……。昔はもう少しセーブしていたつもりだったのですが……」

ライカが恥ずかしそうに顔を赤らめた。

「あっ！　それでいいから！　我慢するほうがよくないから！」

なぜ、ライカの食べる量が増えてきたかというと、一つはフラットルテが来て、その遠慮ない食事量に影響を受けたからだと思う。フラットルテが食べるなら、同じ程度に食べてもそんなに気にならなくなったわけだ。

結果的に、ライカが作っていた遠慮の壁をフラットルテが破壊してくれたということだ。

なんだかんだで、二人はいい相乗効果を作っている。

さて、調理のほうも順調に進んでいるぞ。

この世界の人はあまり半熟は好きじゃなさそうだから、卵もよく火を入れておこう。もう、早くもこちらの調理は大詰めだ。そもそも、手順が多すぎる料理だと私が作れない。

どんぶり型の底の深い食器に、炊きたてごはんをたんまり入れる。底が深い食器によそった場合は、ライスと呼ぶより、「ごはん」と呼ぶほうがしっくりくる。

炊き上がりもいい。お米が立っている。

その上に鍋で作っていた、鶏肉と卵を出汁で絡めたものを載せる。

最後に、三つ葉はないけど、味が近いハーブを上に散らす。

スプーンを横から入れて、完成！

「はい、できたよ！　まずはアズサ特製の親子丼！」


そう、私が作ったのはずばり親子丼だ。

食べ盛りの子でも、これなら満足できるんじゃない？

私は、二人の前にそれぞれ、親子丼を置く。

二人が目を輝かす姿が浮かぶようだ。米が苦手という人でなければ、これは食べがいがあるだろう。がつがつといけるだろう。

「お米の中でももちもちした食感のものを使ってるよ。とりあえず、食べてみ――」

私が言い終わる前に二人は食べはじめていた。

スプーンを一心不乱に口のほうへと運んでいる。

全神経を親子丼に集中させている。

あっ、もはや、一口目を食べて「おいしい！」などという食レポ的な反応もないほどに必死に食べてるや……。

ある意味、作り手冥利《みょうり》に尽きるけど、感想を聞くのはしばらくお預けだな……。

まあいい。どうせ、二人とも、親子丼一杯では満足しないだろうし、もう一品作るつもりでいたのだ。そちらの作業にとりかかろう。

といっても、作り方は割と近い。豚肉にパン粉をつけて、それを高温の油で揚げる。

カツさえできてしまえば、どうとでもなる。

しばらく作業をしていると、二人とも親子丼を食べ終えていた。

「アズサ様、おいしかったです。たしかに、五杯ほど食べれば腹持ちがよさそうですね」

「五杯食べれば、だいたいの料理は腹持ちしそうだけどね……」

普段、飢えているのかというほどにきれいに食べたな。

「ご主人様、この食器は舐《な》めないほうがいいですか？」

「うん！　舐めるのはナシで！　はしたないから！」

「米という食べ物はどうも据わりが悪い気がしていたのですが、このように汁気が多いものを上にかけて食べる時にはちょうどいいですね。出汁がごはんにしみ込みますし」

「そう、それ！　出汁のしみたごはんがおいしいんだよ！」

丼物で出汁やタレのしみた部分の米って、それだけでおいしいんだよな。あれを最初に考えた人はノーベル平和賞をもらっていい。

「甘じょっぱい味がちょうどいいのだ！　フラットルテもついつい舐めちゃったぐらいなのだ！」

「結局、舐めたんかい！」

もっとも、文句のつけようのない高評価を得たことは確実で、私の一抹の不安は消滅した。新作を食べてもらうというのは、それなりの緊張はある。

料理の出来・不出来だけじゃなくて、文化的な違いもあるしね。日本人は子供の時からお米を食べてるからわかりづらいけど、ずっとパン文化に育った人だと、茶碗《ちゃわん》に入ったごはんがきつかったりする。

「ちなみに、卵はしっかり火を通したけど、このほうがよかったよね？」

「ですね……。火が通ってないのは、少し抵抗があるかもしれません」

ライカが申し訳なさそうな反応をする。やっぱり、卵の生食は避けたい文化の人だな。

「フラットルテはどう？」

「たまに生のを殻ごと食べると、あれはあれでおいしいですよね」

「豪傑《ごうけつ》か」

フラットルテは半熟だろうと気にしないようだけど、最初だし、火はよく通すバージョンにしよう。

「今、二品目を作ってるから、少し待ってね」

「フラットルテは何品でも食べられます！」

いや、何品も用意はしてないぞ……。

ドラゴンの食事量を舐めていたかもしれない。

さて、また、底の深い容器に熱々ごはんをセット。

そこに、今度は卵でとじたトンカツをライド・オン！


「二品目は、カツ丼だよ！

「衣にほどよくサクサク感が残ってたら褒めてね！」

我ながらいいカツ丼になったと思うが、どうか？

またしても、二人はスプーンを武器のように動かしまくって、食事に没入した。

衣がどうだとかって感想は食べ終わるまで聞けない流れだな……。しょうがない。そこまで全力で食事をしてもらえるだけでも喜ぶべきなのだ。

見た目が美しい、いわゆるインスタ映えする料理で会話に華を咲かせるのも一興だと思う。舌だけじゃなく目で楽しんだり、香りを鼻で楽しむのもいい。食事をつまらなくする縛りならいらない。

でも、目いっぱい捕食活動のような食事をしてもらうのも、やっぱりよいものだ。

ただし、どちらもカツ丼を食べるのに真剣といっても、よく観察するとライカとフラットルテでは大きな違いがあった。

ライカのほうはあまりごはんを混ぜずに、少しずつ上のカツを突き崩すようにして、カツ丼を食べている。

フラットルテのほうは、最初からぐちゃぐちゃに混ぜまくって、全体に卵とカツの要素がいきわたるようにしていた。

もしカレーライスがあっても、まずルーとライスを混ぜちゃうタイプだ……。子供の時は私もそうやってたけど、いつのまにか、やらなくなったな……。

「フラットルテ、その食べ方は汚いですよ」

見かねたライカが注意をした。

「だいたい、食材や食感の違いなども、そこまで混ぜてはわからなくなってしまいます。上から下にスプーンを――」

けど、ライカの口はそこで止まってしまった。

かといって、フラットルテが反論したからじゃない。フラットルテは何もしゃべってない。

そんなこと気にもせず、ひたすらおいしそうに笑顔で混ぜまくったカツ丼を食べていたのだ。

「ドラゴンの本能が美味《うま》いと言っているのだ！」

ああ……。見た目が悪くても、そんな笑顔を見せてくれたら、何も言えないや。食事の本来の意義を思い出させられちゃうや。

もっと、もっと楽しんでもらえるものを私も作っていこう。

「そうですね、それがあなたの食べ方なんですね」

ライカも言葉を引っ込めて、食事に戻った。その表情も少しゆるんでいた。真似《まね》はしないだろうけど、フラットルテ的な生き方も多少は認めるようになってきていると思う。

親子丼とカツ丼、作ってよかった。

おかずを食べながら白いごはんを食べる文化じゃなくても、丼物ならいけるかもと考えたのだけど、正解だった。

今回はドラゴン二人にモニターを頼んだ形だけど、この様子だとファルファやシャルシャ、それとハルカラも満足してくれるだろう。子供が嫌がる野菜もほぼ入ってないし。三つ葉っぽいハーブは避けたほうがいいかな……？

スプーンが食器に当たって、乾いた音を立てた。

カツ丼も二人ともきれいに完食していた。

今更、評価を聞くまでもない食べっぷりだった。

「アズサ様、これは食べごたえがありますね。お米にこのような可能性があるとは、我はまったく思い至りませんでした。やはり、アズサ様は広い視野をお持ちです」

「あんまり褒められるとこそばゆいな」

それにオリジナルじゃなくて、過去の知識を活用しただけだしね。

「夜食に三杯ほど食べるとちょうどいいかと思います」

「胃もたれして寝られなくなるわ！」

最初から特盛りみたいなのを作ったんだけど、足りなかったか……。

フラットルテはとてもいい顔で、おなかに手を当てて視線を天井のほうに向けていた。

「おいしかったのだ。食べたという気になったのだ」

シンプルな感想だけど、フラットルテの気持ちはよく伝わってくる。

私の料理レパートリーも増えたし、ちょうどよかった。ウィン・ウィンってこういうことを言うのか。

しかし、二人の視線が同時に私に向いた。

「三品目は何ですか？」

声もハモっていた。
期待の眼差《まなざ》しが痛い！　三品目の案はない！
ドラゴンの立場になりきれてなかった自分を少し反省した。
いや、食材はまだある。ごはんもある。ここで機転を利かせるんだ。
「ちょっと待って。どうにかするから」
私は家にあるソースやドレッシングのたぐいを出してきた。
それをいろいろと混ぜ合わせる。
頭の中にうっすらとある完成形へと近づけていく。
「ちょっと酸味が強すぎるな。甘さが不足してる。それと、とろみが弱いか……？」
こうも集中してキッチンに立っているのも久しぶりな気がする。
なにせ、三品目を待っているお客さんがいるからね。
そして、納得ができるソースができた。
あとは簡単だ。再び、トンカツを揚げていく。
そのカツをごはんに載せて、自作ソースをたっぷりかける！

最後にグリーンピースを置く！

「よし！　デミグラスソース系のカツ丼、完成したよ！」


そう、カツ丼の中にも様々なバリエーションがある。

卵でとじたオーソドックスなもの。

キャベツの千切りを敷いた上にカツを載せて醬油を垂らしたもの。

味噌《みそ》だれをかけた味噌カツ系。

そしてデミグラスソース系！

※なお、ドミグラスソースと表記するケースもあるかもしれないけど、デミグラスのほうがなじみがあるので、そっちでいきます。

ライカとフラットルテの待つテーブルにそのカツ丼を置いた。

今度も二人はすぐさま、食事の世界に入る。

その意気たるや、偉大な魔法使いが結界で自分固有の空間を作るがごとし！

「いいでしょ。ほどよいソースの酸味がごはんにもしっかりマッチするし、何よりカツまでも豪華に彩るでしょ。カツは華麗に何度でもその姿を変えることができるんだよ」

食べてる人の感想がなかなか聞けないため、自画自賛することにした。

さほど時間を置かずに、空っぽになった食器がテーブルに並んだ。

「「おいしかったです！」」

今度は、声だけでなく、笑顔まで重なった気がした。

「うん、おいしかったと言ってもらえたなら、作ったかいもあるってもんだよ」

レパートリー、三つも増えてしまったな。デミグラスソースの配分は忘れる前にメモしておこう。

「四品目は何ですか？」

真のラスボスを倒したと思ったら、さらなるラスボスがいると教えられたような気持ち！

「ほんと、ドラゴンってどれだけ入るの？　無限に食べられるの？」

「いえ、我も無限には食べられません。ですが、お米料理はヘルシーですから……」

遠慮がちにライカは言ったが、その表現はネタではなく、素のようだった。

「お米を使ってる時点でヘルシーって発想になるんだ……」

「ライカの言うこともわかるのだ。肉はそんなになくて、大半が米だからな。ご主人様、米も肉に負けず劣らずいい活躍をしますね」

私は大きな思い違いをしていた。

「ドラゴンの食事って――肉をどれだけ食べるか、ということなのか……」

パンにしろ。ごはんにしろ、ドラゴンにとってはサブなのだ。おまけなのだ。

「アズサ様、今度はイノシシ肉でも似たようなことをやってもらえませんか？」

「じゃあ、フラットルテはそれに追加で羊肉のものもほしいのだ」

お米が、ステーキの横の添え物の野菜感覚！

どうしよう……。そりゃ、イノシシ肉丼も羊肉丼もあるところにはあったのだろうけど、調理方法がわからん！　臭味を取る技術もよくわからん！

「もう、今日は打ち止めです！」

ドラゴンの胃袋を満たすのは、パンだろうとごはんだろうと大変だということを実感しました。


ちなみにファルファとシャルシャも私のごはんもの料理をおいしく食べてくれたのだけれど――

「このデミグラスソースのカツ丼の上についてるグリーンピース、とってほしいな～」

「この緑が全体の調和を乱している。外すほうがより完成度が増す」

「グリーンピースは嫌か……。まあ、わかるかな……」

今度から、グリーンピースは載せずに作ることにします。

トラの祭りに行った

She continued destroy slime for 300 years

今日は祝日だ。

前世だと祝日というのはお休みの日という意味ぐらいしかなかったけど、こっちの世界では一応、有名な聖人を祝う日という要素が残っている。

といっても、その聖人の信仰がこのあたりでは熱心じゃないので結局、お休みの日の要素しかないか……。

そのほかに、我が家における祝日の影響というと――

ハルカラがいることだ。

「やっぱり、休みが増えるといいですね～。出勤するのも、それはそれで生活にメリハリができるんですけど、たまには自分にご褒美あげないといけませんからね～」

その日のハルカラはいつもより遅くまで寝ていた。事前申告されていたので、起こすのも遅くした。

今も一人でダイニングのテーブルについている。私はほかの家族のお皿をキッチンで洗っていた。

「こうやって、だらだら過ごすと、魂が洗われてる気がします～♪」

「いくらなんでもおおげさだけど、休みがうれしいっていうのはよくわかる」

ハルカラ自身は社長なので毎日重役出勤しても大丈夫だけど、そういうことはしない。労働に関してはハルカラは真面目《まじめ》だ。

「さてと、フラタ村まで散歩してきましょうかね。必要なものがあったら買ってきますよ」

「お気持ちだけ受け取っておくよ。今日は祝日だからお休みのところが多いと思うし」

「そういえば、なんとかって神に関係する、なんたらかんたらって聖人の日でしたね」

もはや、何も記憶してないな。でも、私も同レベルなので文句は言えない。

「この世界って聖人の数も多いんだろうね。神様もたくさんいるぐらいだし」

「でしょうね。エルフなんで、人間が信仰してる教えはそんなに詳しくないんですけど、すべての日が厳密にはなんらかの祝日ですよ」

そのあたりのことはシャルシャに聞くべきだなと思って、呼んできた。ちょうど洗い物も終わったところだった。

「たしかに一年のあらゆる日がなんらかの祝日には当たると言っていい。たとえば、今日は世界的に信仰されてる聖マドクワが死んだ日で、それで祝日ということになっている。この時期、休める日もあまりないので、仕事を休む日になった」

「つまり、人気が高い聖人の祝日ならお休みになるということだね」

「母さんの理解でだいたい合っている」

こくりとシャルシャはうなずいた。

「聖マドクワはショカッキー神の聖職者で、魔族や動物にも自分の信じる神の教えを説いたとされる。最後はトラに教えを説いたものの、そのままトラに食べられて殉教した」

「悲劇的なのかまぬけなのか判断に迷うな……」

「聖マドクワの信仰があついところでは、今日はトラの帽子をかぶって町を練り歩く」

「不謹慎な気がするけど……祝日ってそういうものかな」

そんな話をしていると――

今度はマンドラゴラのサンドラが家に入ってきた。

「トラってかっこいいわよね。そのお祭りなら見てみたいわ」

「サンドラはトラが好きなの？　そんなの初耳だけど」

「トラって草食動物を食べてくれるヒーローだもの！」

その発想は人間にはなかった！

ただ、お祭りに娘が興味を示しているなら、ここはぜひ連れていってやりたいところではある。

「シャルシャ、そのトラの祭りは、この近くでもやってるところってあるの？」

「ある。ナンテール州でも、マドクワ関係の教会があるウィドンという町がある。そこはトラの祭りが盛ん」

おっ、それならライカとフラットルテにお願いすれば行けそうだ。

「よーし、じゃあ、そのトラの祭り見てみようか！」

「えっ？　いいの？　本当にいいの？」

サンドラが目を輝かせている。

もちろん。娘の笑顔のために時間を使わないでどうする。

「お祭りなら年に何度もあるものじゃないでしょ。近くにあるなら行ってみようよ」

「そうね。草食動物がトラに食われるところを見てみたいわ」

「それは見られないと思う」

そんな血なまぐさい祭りは困る。

「お祭り見物ですか～。休日を満喫する方法としてもいい気がします。わたしも参加します――と言いたいところなんですが、家に残ってやりたいことがあるんでパスします」

ハルカラがそう言った。

「ハルカラさんは休みの日に夕方まで寝るというのをやりたい？」

「太陽の当たってる時間にまで寝たいの？　ぐうたらね」

「違いますよ、シャルシャちゃんとサンドラさん。もっと、まっとうなことです！」

ハルカラ、娘からもいいかげんな性格だと思われてるな……。

「宝物の整理をしたいんですよ。ずっと放置しちゃってるじゃないですか」

「宝物？　そんなの、あったたっけ？」

アルバイトで冒険者をやったことはあるが、とくにこれといったアイテムをダンジョンで拾ったことはないと思う。

「お師匠様も忘れてますね……。ほら、ニンタン女神様の池をきれいにした時に宝物をたくさんもらってますよ」

言われて、ようやく私は思い出した。

「あった、あった！　蚊の対策で呼び出されて、池の水を全部抜いた時のやつだ！」

ニンタン女神信仰の総本山である場所柄、いろんな宝物が寄進されて、神であるニンタンも神殿の関係者も管理しきれていなかった。

その一部が蚊を退治した褒美としてこっちに渡された。

いわゆる「お下がり」というやつだろうか。

「あれ、空き部屋に入れっぱなしになってますよ。そろそろ分類ぐらいはしないと、誰もやらないまま何年も経過しそうですし」

「だね……。じゃあ、お願いしようかな……」


さて、ウィドンという町の祭りに行くと家族に連絡をしにいったのだが、フラットルテとロザリーがいなかった。このことはファルファから聞いた。

「フラットルテさんは天気がいいから空を全速力で飛んでくるって。ロザリーさんもそれについていくって言ってたよ」

「走り屋感覚か……」

結局、娘三人と私がライカに乗る形でウィドンの町まで行くことになった。

「その町なら急げば一時間かかりませんね。一般の人間の方の徒歩移動だと高原のアップダウンがあって二日以上かかりますが、飛行するなら問題ないですすので」

「ライカは本当に頼りになるよ」

さっとウィドンの町に行って、さっと戻ってくるか。

◇

ライカの言うとおり、ウィドンの町にはあっさりと着いた。

位置的にはほとんど隣の州というほどに離れているし、ナンテール州の中でもかなり標高の低い場所にあるが、そこはライカにかかればあっという間だ。四十分ほどで、もう到着してしまった。

そして、町の中心地のほうにやってきたのだが――


「黄色い！」


それが私の第一印象だった。

通りを歩く人がことごとく黄色いトラの顔の帽子をかぶっている。帽子といってもキャップみたいなものじゃなくて、後頭部も首の後ろも隠れるぐらい後ろに長い。後ろの部分でトラの胴体を表しているらしい。

「派手だね～！　トラさんばっかり！　白いトラさんの帽子もあるね！」

ファルファの観察眼は鋭い。

そういえば、稀《まれ》にだけど、黄色じゃなくて白い帽子も混じっている。

「この帽子をかぶることで、トラに喰《く》われた聖マドクワを偲《しの》ぶ」

解説はいつもながらシャルシャに頼む。

「いいわね、いいわね。にぎやかじゃない」

サンドラもうきうきしているようで、なによりだ。

ただ、トラの帽子だけが特徴ではなかった。

やたらと薄い木の板を肩に差している。巨大なアイスの棒みたいだ。

「ねえ、シャルシャ、あの棒は何なの？」

「あの棒を打ち鳴らして、音を聖マドクワに届ける」

なるほど。お祭りに音楽は必須だろうし、そういうものなのだろう。

「いろんなお店が出てるよ～。どれもおいしそう～！」

ファルファは通りの両側に並ぶ屋台に目を奪われている。

ああ、まさしく縁日だ。ここまでわかりやすいお祭りに娘を連れてくることって、案外なかった気がするし、ちょうどいい。

一方、ライカはなぜかテンションが低かった。

そういうことはすぐにわかる。ライカは口にはそんなに出さないが、割と表情にあっさりと出るのだ。

「ライカ、何か残念なことでもあった？」

「さっきウィドン町立博物館というところの横を通過したんですが、休館日でした」

「本当に博物館とかそういうの好きだな！」

「本来なら、祝日の日は博物館って開いてるものだと思うのですが、ここでは聖人を祝うという意味を込めてあえて休館にするのだとか……」

まあ、たしかに休みの日ならその手の施設はオープンしてる気がするが、そういう発想はこの世界でもあったのか。

「ま、まあ……ここなら近いし、興味があるなら個人的に今度来たらいいよ……」

「はい。そうします。このトラの祭りは我もノーマークでしたし、また調べてみたいと思います」

そんなに興味を持ってもらえて祭りもうれしいのではなかろうか。


さて、通りはなかなか混雑しているので、迷子になってしまうリスクがある。

あと、サンドラは人が多くて、あんまり祭りの様子を見られていないようだった。

ここは合体するか。

私は道の横に移動して、しゃがみ込む。

「サンドラ、肩車するよ」

「こ、子供っぽいけど、まあ、いいわ。やるわ」

サンドラは気恥ずかしい部分もあったようだけど、拒否はしなかった。

もっとも、これをやると、ファルファとシャルシャが自分たちにもやれと要求してくることはわかりきっていた。

二人から無言の視線がこっちに向けられる。

「ファルファとシャルシャはママと手をつなごうね。それでいい？」

「うん、ママ♪」「御意」

ひとまず納得してもらえた。私の左側にファルファ、右側にシャルシャが来る。

「なかなかいいわね。トラの帽子が目線に近いところにあって迫力があるわ」

サンドラも視界が良好になって満足しているようだ。こんなことで喜んでくれるなら、母親としても楽でいい。

両側の娘二人もお祭りの空気を楽しんでいるのが伝わってくる。

うん、こんな素朴な楽しみ方でいいのだ。小さな町の祭りを子供たちと回る、これぐらいでいいのだ。

私たちの生活、全体的に派手なところが多かったしな。

というか、魔族が絡むとイベントのサイズが巨大になる……。

今日はのんびりと小さな町のお祭りを楽しもう。

しかし――私はまた違和感のあるものに気づいてしまった。

屋台にどこかで見覚えのある料理が売ってあるのだ。

その名前はソースパン。

小麦粉にキャベツを入れて、平べったくして鉄板で焼き、その上に豚肉を載せ、最後にソースを上からかける料理らしい。

これって、形状からして……。


「お好み焼きでは……!?」


別に私がお好み焼きに詳しいわけでもないので、細かなところは全然違うのかもしれないが、少なくとも完成品の形状はお好み焼きに酷似していた。

「母さん、あの料理が気になる?」

シャルシャが私のツッコミを聞いていたらしい。

「あのソースパンはトラの祭りの時に売り出される。興味があるなら食べてみればいい」

「アズサ様、我、ちょうどおなかが減ってきていたので、皆さんの分も含めて、十枚ほど買ってきましょう」

「ライカ、気持ちはうれしいけど、一人何枚食べる計算なの?」

子供たちは二枚も食べられないと思うぞ。しかも、サンドラは食べないし。

「いえ、皆さんが一枚ずつ、我が七枚ほど食べればいいかなと。あっ、七枚は食べ過ぎですから……五枚にします」

そこ、おしとやかにしたつもりかもしれないが、一般的な基準だとまだまだ多いぞ。仕事場への差し入れの枚数だぞ。

そのあと、テーブルの空いている席でソースパンを食べた。

やはり、お好み焼きの味だ……。いくらなんでも青海苔《あおのり》まではかかってないけど。

嫌な予感がした。

最初は素朴な祭りだと思ってたけど、もっと濃い内容なのでは……？

と、その時、声をかけられた。

「なんや、自分らも来てたんか。会える気がすると思うてたんやわ」

むっ、この関西弁らしき声は……。

サーサ・サーサ王国の国王、ムーが立っていた。

「あっ、ムーさんだ～！」

「あら、悪霊の王じゃない」

ファルファとサンドラが反応する。シャルシャはちょうどソースパンを食べているところだったので、あいさつができない状態だった。

このタイミングでムーと遭遇するだと……？

偶然にしてはできすぎている気がする。

もしやと思うが、この祭り――

全体的に関西っぽいのではないか……？

「ねえ、ムー……なんであなたがこんなところにいるわけ?」

私たちの家に遊びに来たというならわかるが、そうでなければナンテール州に来ることなど、まずないだろう。祭りに寄ってから、私たちの家に行くつもりだったのかもしれないが。

「それはやな、この祭りがうちの国のかつての祭りを奇跡的に受け継いどるからやわ。うちがこの祭りを知ったのも、けっこう最近なんやけどな」

受け継いでいるだと?

「ねえ、ムー、言ってる意味がよくわからないんだけど。あなたたちの古代文明と、この町の祭りにどんなつながりがあるわけ?」

古代文明は今の文明と断絶しているはずなのだ。その証拠に魔法もずいぶんと違う。

「せやから、奇跡的って言うたやろ。マドクワっていう聖人はな、もともとうちらの文明で信仰されてた神であるドゥーマ・ドゥーマ・クワーミーの名前が訛《なま》ったもんで間違いない」

今日、なじみのない固有名詞をやたらと聞く日だな。

「ドゥーマ・ドゥーマ・クワーミーからマドクワ。発音が変化することがあるといっても、あまりにも大きな変化で無理がある」

シャルシャがまっとうに反論した。母親としてシャルシャの説に一票。

「それはとてつもなく長い時間の末に変わりまくったんやから、しょうがないやろ! トラの伝説が似とるし、このソースのかかったやつも、かつてはうちらが食べてたもんや。マドクワの神話の中に作り方が入ってて偶然伝承されたんやな」

なるほど……。

シャルシャはこじつけだと思っているようだが……おそらくムーの言ってることは合っている。

このムーの関西弁とお好み焼きみたいな食べ物。

私にとっては偶然の一致とは思えないのだ。

なにせ、ムーの古代文明にはかつて『紅《あか》き魔の宝珠』というタコ焼きにしか見えない料理があった。なら、お好み焼き的な食べ物があってもおかしくない。

ぶっちゃけ、お好み焼きとタコ焼きって味の方向性は似てるし（個人の感想です）。


「ねえ、ちなみにムーたちの中では、この料理はなんて名前だったの？」

「『黒緑色をした死の泥炭地《でいたんち》』って名前や」

「もっと食欲をそそる名前にしろ」

私の食欲も減退したぞ。食べ物に泥炭地って単語をつけるな。

「ムーさんは一枚食べますか？」

ライカが一枚、ソースパンを指差した。

「いや、うちは肉体はあっても生きてはないから食べられへん。気持ちだけもろとくわ。おおきに」

「あっ、そうでしたね……、すみません、我としたことが……」

ライカがしまったという顔をした。

「なんでそんな気にしてるねん。失礼でもなんでもないで」

「そうよ。食べずに生きていけるなら、そっちのほうが合理的だわ」

ムーとは違う理由で食べない植物のサンドラが言った。

食べられないのは残念だとは思うが、食べられないのが当たり前の側からするとどうということもないのかもしれない。だから、ライカが気にしすぎることもないのだ。

「なるほど……。我からしたら、お祭りで食べ歩きできないのはとてもつらいことのように思えてしまいまして……」

「ライカはライカで食べるの大好きだから、変にねじれてる！」

特殊な立場の人が多くてややこしい。

「ところで、ムーさんは、このお祭りを見るためだけに遠くから来たの～？」

ファルファが尋ねた。うん、ムーの移動って無茶苦茶大変なはずだしな。

「せやで。ちょっと血がたぎってな！」

そう言うと、ムーはほかの帽子より一際大きくてリアルなトラの帽子をかぶった。

もはや、帽子というより、そういう服ではというほどだ。

後ろは足のあたりまでトラの胴体を現す布地が伸びている。

「これがうちらが使ってた帽子や！　さあ、そろそろクライマックスやな！」

すると、ムーが祭りの通りのほうに少し歩き出した。といっても、まだ仮設テントの屋根がかかるあたりまでだが。

「ムー、歩くの速くなったね」

以前までは一歩歩くだけでくたくたになっていたはずなのだ。今では歩くのが遅い普通の人ぐらいに見える。

「いや、これは体を魔法で浮かせるだけや」

「あっ、そういうことね……」

「ちなみに、ナーナ・ナーナに体使って走る記録を測ってもらったら、衰えとったわ……。一時間以上、タイムが伸びてもた……」

走る種目でタイムが一時間追加でかかることってないだろ。走るって表現からしておかしいだろ。

ムーはこのまま素直に魔法で浮いていればいいと思う。

しかし、この祭りのクライマックスというと、何だろう？

ムーの手にはほかの祭り客も持っていた巨大なアイスの棒二本が握られていた。

それをバンバンバンと叩《たた》いて打ち鳴らす。

あっ、このリズム、どこかで聞いたことがある。


「かっとばせー、マドクワ！　いてまえ、いてまえ、マドクワ！」

「野球の応援かよ！」


もっとも、なんとなく予感はしていた。

さっきから、どうも野球っぽさが漂っていたのだ。

「だいたい、『かっとばせ』って、何をかっとばすの⁉」

「母さん、『かっとばす』も『いてまう』も、意味がすでに不明瞭になっている囃《はや》し言葉だということになっている」

シャルシャは真面目に知識を話してくれているはずなのだが、内容が内容なのでふざけているように聞こえる。

「『かっとばす』も『いてまう』も、うちらの言葉で『ボコボコにする』って意味やな。『何抜かしてるんや。いてまうぞ、ワレ』みたいな使い方をする」

「王族なのに口が悪すぎる」

「ど、どうやら……本当に古代文明の信仰が聖マドクワの祭礼に受け継がれているのかもしれない……」

シャルシャは体をふるわせながら、しみじみと言った。

シャルシャの中ではとても大きな発見だったらしい。

ムーだけじゃない。いつのまにか、トラ帽子をかぶっている人たちも、巨大なアイスの棒を持って、打ち鳴らしはじめていた。

しかも、管楽器を使った鳴り物の演奏も混じっている。

そのメロディもどことなく、球場で聞きそうなやつだ。曲名知らないけど……。

まあ、もはやこの程度でのツッコミは入れないぞ。きりがないからな。お祭りはにぎやかなほう

がいいし、にぎやかであることに文句をつけるのもおかしいし。

「「かっとばせー、マドクワ！　家で走れ、家で走れ、マドクワ！」

「家で走るって何だよ！」

新たな囃し言葉にツッコミを入れてしまった。

「母さん、聖マドクワは生前、考え事をする時、部屋の中をひし形状に走っていたという逸話がある。そこから、家で走れと言うようになった」

「シャルシャ、解説ありがとう。でも、それだけだと解決しない、もやもやが残ってる気がするんだよね……」

「たしかに家の中をひし形のように走る意味についてはいまだに解釈が定まってない。母さんがもやもやするのは正しい」

娘に褒められてしまったが、そんな学術的なひっかかりではないのだ。

あっ、わかった。

しかし、これを口に出して言うと、何のことだかわからないという反応をされてしまうだろう。

だから、私は心の声で叫ぶ。

「家で走れ」ってホームランのことだろ！

「さあ、自分らもやるで。板がなかったら、手でもええわ。かっとばせー、マドクワ！　いてまえ、いてまえ、マドクワ！」

ムーにうながされて、私たちも立ち上がった。まあ、応援するしかないな。

ライカが木の棒を買ってきた。今日だけしか使い道がないけど、こんなところでケチってもしょうがないしね。

私も声を張り上げる。

「かっとばせ、マドクワ！　ホームラン、ホームラン、マドクワ！」

だが、ムーに不思議そうな顔で見られていた。なんだ？　リズムがずれたりもしてないはずだぞ。

「アズサ、その『ホームラン』って何なんや？」

つい、なじみのあるほうを言ってしまっていた。

「気にしないで。『家で走れ』の方言みたいなものだよ……」

結局、私たちはマドクワという聖人の応援（？）をしばらくすることになりました。


奇妙な祭りだけど、これはこれで面白い。祭りはやっぱり参加したほうがいいのだ。

最後にみんなが、アイスの棒を連打した。多分、野球でヒットが出た時の反応に近いと思う。

応援が終わった後、なぜかシャルシャが泣き顔になっていた。

「どうしたの？　悲しいことなんてあった？」

娘の涙に私はあわてた。

「古代文明の信仰が今も残っているかもしれない。そんなロマンがこの祭りにはあることがわかった。感動的な経験……」

「シャルシャからしたら、そうなるよね、とんでもない発見だもんね」

しかし、私からすると、ふざけてるように感じられてしまって、素直に感情移入ができない……。

過去の記憶に邪魔をされている……。

「ちなみに最後はコシーの園《その》という聖地に手を合わせるんやけどな。そこは伝わらんかったみたいやな。コシーの園も滅んでもて、みんな知らへんからしょうがないわ」

発音が甲子園《こうしえん》ぽいが、たんなる偶然ということで片付けます！

「それから巨人族を踏みつける真似をする儀礼も残ってないようや」

「ま、まあ……巨人とも仲良くやるほうがいいんじゃないかな……」

「もう、昼前やな。せっかくやから高原の家まで行くわ。ロザリーもおるやろ」

ロザリーはフラットルテと出かけているが、昼に戻ってくるはずだ。フラットルテがお昼ごはんの当番なのだ。

「わかった。じゃあ、来て」

近場の祭りだったから、まだまだ一日が長い。いい祝日だ。

「ライカ、もう一人乗れそう？　子供率が高いからどうにかなるかな？」

「それは大丈夫ですが、あっちでウサギ肉も売っているので食べてからでいいでしょうか？」

本当によく食べるな！

ムーいわくウサギ肉を食べるのも恒例だったようで、シャルシャが古代信仰と聖マドクワの信仰のつながりを知って、また感動していた。

私たちはトラの祭りを見て、高原の家に戻ってきた。

帰宅すると、ちょうどお肉が焼けるいい香りがしていた。フラットルテがお昼の当番の日だから、フラットルテの手によるものだろう。

「ご主人様、お帰りなさいなのだ！　今、シカとタマネギを焼いてます！　岩塩を削ったのをつけて食べてください！」

「おいしそうだけど、無茶苦茶ワイルドな料理だな」

昼食はジビエっぽいものになった。まだ、お好み焼きもどきがおなかに残ってるが、どうにか入るかな。

ムーはロザリーを見つけて、悪霊同士の話で盛り上がっていた。

どうも、最近の奴《やつ》はしょうもないことで悪霊になりすぎみたいなことを話しているらしい。

そういう「近頃の○○」みたいな話題は、どんなコミュニティでも生まれるらしい。これは人間（正確には悪霊だけど）の業《ごう》みたいなものだろう。

ファルファとシャルシャはトラの祭りの様子をキッチンのフラットルテに話している。

「へ～、トラか。最近、トラとも力比べしてないな～」

トラと戦う祭りではないぞ。あと、その言い方だと、過去にトラと力比べしたんだな……。トラも迷惑だったと思う。

まあ、なんにせよ興味があれば昼から行ってくればいいと思う。フラットルテならすぐに行けるし。

「ハルカラは、まだ宝物の整理中かな。そろそろお昼ごはんだって呼んでくるか」

私が宝物置き場にしていた部屋のほうに行くと、廊下にごちゃごちゃと高そうな品が出ていた。やけに精巧な彫り物が施されてる箱だとか、銀でできた燭台《しょくだい》だとか、いかにも美術的価値がありそうだ。神への奉納品《ほうのうひん》だったわけだし、献上者も無価値なものは持ってこないだろう。

部屋の扉を開けると、前よりぐちゃぐちゃになっているように見える。

「ホコリっぽいな……。しかも、ハルカラがいないし」

やりはじめて、これは終わらないと思って途中で諦めたのだろうか。

だいたい、整理しようにもそのための棚や箱があるわけじゃないので、限界がある。せいぜい、ジャンルごとにまとめて置くぐらいのことしかできないはずだ。

――と思ったら、高そうな椅子の上に、こんな書き置きを見つけた。

陳列棚のようなものがないか
フラタ村とナスクーテ町を
見に行ってきます

ハルカラ

棚が必要だということにハルカラも気づいたらしい。

しかし、これを全部整理するとなると、いくら広い我が家でも専用の倉庫が追加で必要かもしれない。ライカに倉庫を作ってと頼んだら数日で完成すると思うので、そこまで問題はないが。

部屋に入ってみて思ったが、きらきら輝いてるものが多くて目がちかちかする。

神に奉納したものだからか、実用性を無視したような金属製の調度品のたぐいも多い。中には宝石で作ったカエルまであった。

これ、ニンタンもいらないと思って、私たちに押しつけたのでは……？

「高級なんだろうけど、価値もさっぱりわからないな。わかる人にはわかるのかな」

お金に困ってるなら売り払うことも選択肢に入れてもいいが、幸い、生活は安定しているし、それにいくらお金が入ったとしても、スライムを倒してお金を稼ぐ生活は変えないほうがいい。生活のリズムは守るべきなのだ。

ダイニングのほうに戻って、ごはんができるのを待っていると、ちょうどハルカラが走って入ってきた。

「帰宅のためにそんなに急がなくてもいいんじゃない？」

「お師匠様、フラタ村にすごいものが来てるんですよ！　やっぱり聖マドクワの祝日だからでしょうか？」

「すごいもの？　もう少し具体的な情報を言ってくれないとまったくわからん」

とにかく、ハルカラが興奮していることだけがわかる。

「魔族がやたらとフラタ村に来てるんですよ」

「えっ？　魔族？」

最初に浮かんだのはベルゼブブの顔だが、たくさん来ているらしいので、そうではない。

「神の教えを魔族にも説こうとした聖マドクワの祝日だから、その記念なのかもしれませんね」

「うん、一理あるな」

フラタ村に関しては魔族がどんどんやってきている気がするが、それでも人間の世界全体で見れば、まだ魔族に対して抵抗があるというか、距離を置いているケースのほうが多いとは思う。

怖いというよりは単純に物理的に離れているから接点が生まれづらいというのが実情だろう。人間側には魔族の土地に入っていく手段がほとんどないし、魔族側も個人的にワイヴァーンなどでやってくることがある程度だし。

なので、魔族にも関係のある聖人の祝日にかこつけて、多人数でやってくるなんてことはあるのか。普段は人間の土地に来ない魔族ほど、こういう機会に来るのかも。

「ちなみに、どんな魔族が来たの？」

ベルゼブブやペコラなら、ハルカラもまず名前を言いそうだから、そのあたりの常連ではない魔族だろう。

「鑑定騎士団という魔族の一行です！」

よくわからない返答が来た。

そりゃ、魔族にも騎士団はあるのかもしれないが、その前の「鑑定」ってどういうことだ？　騎士団と鑑定ってつながりが悪い。

「悪いけど、もっと詳しく説明して。『あ〜、鑑定騎士団か〜』って理解できるほど、内容を把握してる人間がいないから」

「言葉のとおりですよ！　いやあ、本当に渡りに船ですよ！　ライカさん、フラットルテさん、お昼ごはんが終わったら、荷物を運ぶの、手伝っていただけませんか？」

「はあ……我はかまいませんが、何を運ぶのでしょうか？」

「そうだな、どうせなら重いもののほうがいいのだ。力比べができるからな」

フラットルテはなんでも比べようとするな。

「ニンタン女神様のところからもらってきた宝物です！　あれをフラタ村に運びます」

それで、やっとハルカラが張り切っている意図がわかってきた。

「鑑定騎士団は全国を移動して、その土地の様々なものの価値を調べる人たちなんですよ。あの宝物の値段も見てもらっちゃいましょう！」

そんな騎士団がいるわけないだろ。

——と言いたいところだが、いるんだろうな……。

「ほほう。それはいいですねえ。我もあの品々の価値は気になっていたんですよ」

ライカもかなり興味がある反応だ。ドラゴンは金銀財宝を集めたがる傾向があるらしいし、ライカ自身もなかなか蓄財《ちくざい》していた。

「おっ、フラタ村の中で値段比べするのか？　それだったら、負けていられないのだ！」

力比べの亜種として値段比べというのもあるのか！

どうやら、昼食の後はフラタ村に行くのが決定的になった。

だが、いくつか疑問がある。

魔族って、人間世界の宝物も鑑定できるんだろうか？

それと、どんな魔族が鑑定に来ているんだろう？

◇

高原の家からフラタ村のほうを見下ろしても、すでに魔族が来てることがわかった。

別に巨人みたいな魔族がいるという意味ではなくて、ワイヴァーンが何体か空を飛んでいるのが見えたからだ。

私たち家族とムーはフラタ村に出ていった。

ライカとフラットルテ、それとハルカラは宝物を運ぶために別行動になったが、狭いフラタ村のことなのですぐに合流できるだろう。

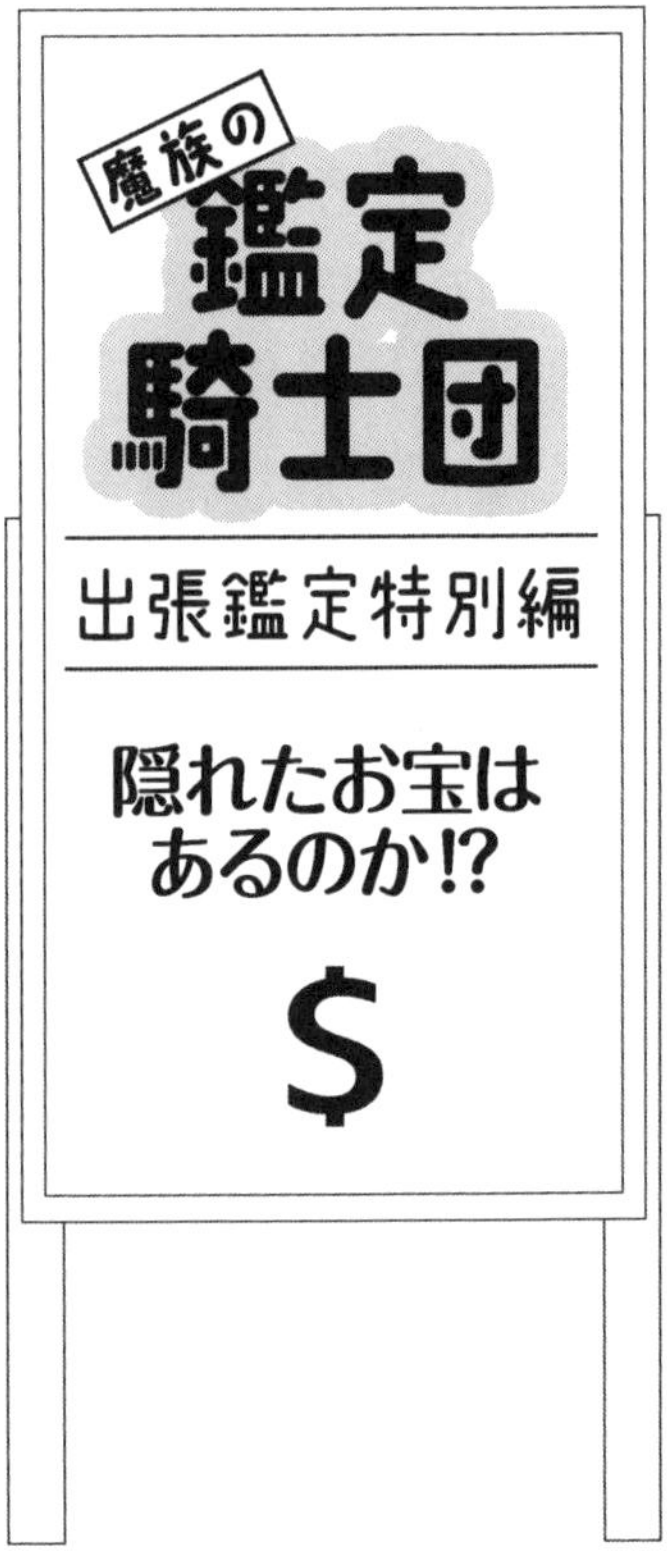

そんなことを書いた看板が置かれてある。
魔族ってこういうイベントが好きだよな。ていうか、この世界の人間はイベント好きが多いと思う。

「村の中央の広場で開催するようですね。いろいろ準備してましたよ〜！」

そう言って、ハルカラが村の奥のほうから小走りでやってきた。

「宝物を広場に置いてきました。いや〜、どんな金額になるのか楽しみです！」

ハルカラは明らかにテンションが上がっている。

「あなた、骨董品《こっとう》にそんな興味があったっけ？」

「高い値段がついたら単純にうれしいじゃないですか」

その気持ちはわからなくもない。

「あと、価値がはっきりしないと保管するにしても、どれを優先したらいいかわからないですしね。もしガラクタが混じっていたら処分したほうがいいですし」

それもわかる。すべて合わせるとけっこうな量だからな。少しはかさを減らしたい。


広場に行くと、すでに村人や近隣の人たち、それと魔族までけっこう集まっていた。

「えっ？　お客さんまで魔族がいるわけ？」

ちょうど村長がいたので聞いてみた。少なくとも、村長はなんとも思ってないようだ。話す前から顔色でわかる。

「あの、魔族がかなり来てるみたいなんですが」

「おお、高原の魔女様。なんでも、鑑定騎士団の鑑定ショーは魔族の世界では人気だそうで、見物に来る者もいるそうです」

うかな。それに村にお金を落としてもらえるならありがたいです」
「今日は聖マドクワの祝日ですので、魔族とも仲良くする日です。ちょうどよいのではないでしょうかな。それに村にお金を落としてもらえるならありがたいです」

このあたり、柔軟に対応できるのはフラタ村らしい。

「さて、そろそろ開始のようですな」

広場には特設ステージが置かれているが、そこにギルド職員のナタリーさんが上がってきた。

「皆さん、お待たせいたしました！　魔族の鑑定騎士団がこのフラタ村に出張鑑定に来ました。家に眠っている価値のわからないお宝に値段をつけてくれるそうです！」

フラタ村の人たち、魔族にかなり免疫ができているらしい。これもベルゼブブなんかが何度も来ているおかげだろう。

「では、鑑定騎士団の人たちをお呼びしましょう！」

まず、上がってきたのは私も知ってる猫耳のアンデッドだった。

ポンデリだ！

「まず、おもちゃ担当のポンデリさんです！」

「はい、どうも、どうもー。ボクは職業柄、いろんなゲームやおもちゃを見ていまして、人間の世界でも長く住んでいたので、そちらのほうの価値もわかります」

たしかにその発言に間違いはないな。四十年は人間の世界でアンデッドなのを隠して生活していたはずだ。

でも、おもちゃ担当って、領域がマニアックなのでは……。

もっと一般的な骨董品を担当できる人もいるのだろうか？

「あと、騎士団と名乗ってますが、剣を握ったことも馬に乗ったこともありません。人間の世界に慣れてる奴が行ったほうがいいということで臨時で参加しました」

そのへんはゆるいルールらしい。騎士団って名前なだけで、本物の騎士らしきことはしないんだな。

「ポンデリさん、本日はよろしくお願いいたします！　はい、続いて二人目です！」

まさか、次も知っている顔が来るとは思わなかった。

といっても、何度も会っているような相手でもない。でも、そのきれいなブロンドの髪と、魔女らしい姿はよく覚えている。

「皆さん、こんにちは、マースラと言います。主に魔法が関係するアイテム、俗にアーティファクトと呼ばれているものの鑑定ができます」

魔法使いスライムのマースラだ！

マースラは私たちにも気づいたのか、こっちに手を振ってきた。

私もお世話になったことがあるので、手を振り返す。

ファルファがいきなりスライムになって戻れなくなった時に、マースラのところに相談に行ったことがある。

それと、どうやらシローナの話によると、マースラは魔法使いの師匠に当たるらしい。義理の娘の師匠というわけだ。なんだかんだで縁がある。

「マースラさんは魔族らしさがないですが、魔族なんですか？」

ナタリーさんが尋ねた。

「広い意味では魔族です。高原の魔女さんよりは魔族寄りですね」

観客の一部から「じゃあ、ほぼ魔族だな」といった声がした。

いや、それ、私も魔族側に分類してない？　私はあくまでも人間だぞ……。

「あと、私も人間の土地のほうに住んでいたので、今回、出張鑑定で急遽《きゅうきょ》呼ばれました。騎士をやっていたことはないです」

騎士団としての機能は絶対に果たしてないな、この団体。

「さあ、最後に三人目の鑑定騎士の登場です。今回唯一の鑑定騎士団の正規メンバーです！」

ということは、私も知らない人だろう。もう、一目見ただけで初見だとわかった。

なにせ、下半身がヘビなのだ。

これはたしかナーガという種族のはず。上半身のほうはライトグリーンの髪をした女性だが。それと、それ自体古道具みたいな独特のメガネをかけていた。

「こんにちは、鑑定騎士団のソーリャと申しますですよ。ヴァンゼルド城下町で骨董商《こっとうしょう》を何百年か続けています。よろしくお願いいたしますですよ」

魔族の観客のほうから「ソーリャさんが来た！」という声が上がった。有名人らしい。

「この三人の方に鑑定していただきます！　ではエントリーナンバー1、フラタ村のアント商会のカルヒスさん、どうぞ！」

初老の男性のカルヒスさんが持ってきたのは、両手で抱えないと大変そうなほどの大皿だった。

「これ、曾祖父《そうそふ》が大切に保管していたお皿なんですが、価値があるのかなと思って持ってきました」

「なるほど！　ずばり予想額はどれぐらい行くと思いますか？」

カルヒスさんが事前に持っていたパネルを広げた。

「三十万ゴールドいってくれればいいなと」

「では、鑑定騎士団の皆さん、鑑定してください！」

鑑定騎士団のポンデリ、マースラ、ソーリャの三人は早速、皿の確認に入った。

マースラはマジックアイテムかどうかを確認する魔法を唱《とな》えていた。ソーリャというナーガはそのメガネで細部を拡大して確認している。

なかなか、本格的にやっている。

ただ、ポンデリは後ろで手を組んで、首を傾《かし》げたりしているだけだった。

おもちゃじゃないからわからないんだろうな……。自分のテリトリーの外のものだと、どうしようもないよね。

なお、私たち家族も用意されてる席を見つけて、座って見物している。とくに娘たちはずっと立って見てると疲れちゃうからな。

「あ～、ああいうお皿ね」

サンドラは何か思うことがあるらしい。

「サンドラはあんな骨董品は興味ないものだと考えてたけど、そうじゃないの？」

子供が骨董品に興味があるほうがおかしいと言えばおかしいのだが、とくにサンドラは人間の作ったものには否定的な傾向がある。

「ああいう陶器、粉々になったのがよく土に混じってるのよ。昔、屋敷があった跡地にはとくに多いの。根っこにぶつかるとちくちくして痛いのよね」

「やっぱり、植物の視点か！」

そんなやりとりをしているうちに、鑑定騎士団たちがボードのようなものに数字を書き出した。

「さあ、値段が決まったようです。鑑定騎士団の皆さん、値段をオープンしてください！」

値段が出た時にカルヒスさんが苦笑いをした。あと、会場が「あ〜っ！」と笑いに包まれる。

「おっと、低い額が出ました。まず、ナーガのソーリャさん、ご説明をお願いします」

「サナーゲ窯という古い窯のものを模してるんですが、割と新しいものなのですよ。おそらく曾祖父の方が生きている時に作られたものでしょう。いい模造品といったところかなと思うのですよ」

やはり本職だけあって、まともな鑑定結果っぽいぞ。

「続いて、マースラさんは５０００ゴールドですね」

「アーティファクトではないですね。ただ、このお皿、ちょうど模様が魔法陣になってますよね。魔法使いが持つお皿としてはオシャレです」

それ、魔法使い基準で判断してるのでは……。

「ポンデリさんはわからないということですが、一応聞いてみましょう」

「ゲームじゃないのでわからないです」

そもそも、ポンデリは鑑定してない。


「はい、続いてエントリーナンバー２、ナスクーテの町から来たベラーヌさんは大きな壺《つぼ》を持ってきてくださいました！」

おばあちゃんがステージに上がった。

「この壺を買うと、不幸を断ち切れると言われて、三十年前に八十万ゴールドで買いましたのじゃ」

典型的な詐欺じゃん！

なかなかパンチの利いたものが出てくる。

「八十万ゴールドで買ったので、できれば八十万ゴールドの価値があってほしいなと思っておりますじゃ。なお、売ってきた奴は逮捕されましたですじゃ」

じゃあ、確実に詐欺だよ！　八十万の価値があったら詐欺じゃないよ！

また、鑑定がはじまった。やはり、鑑定の時間だけはガチだ。

「さあ、結果が出ました！」

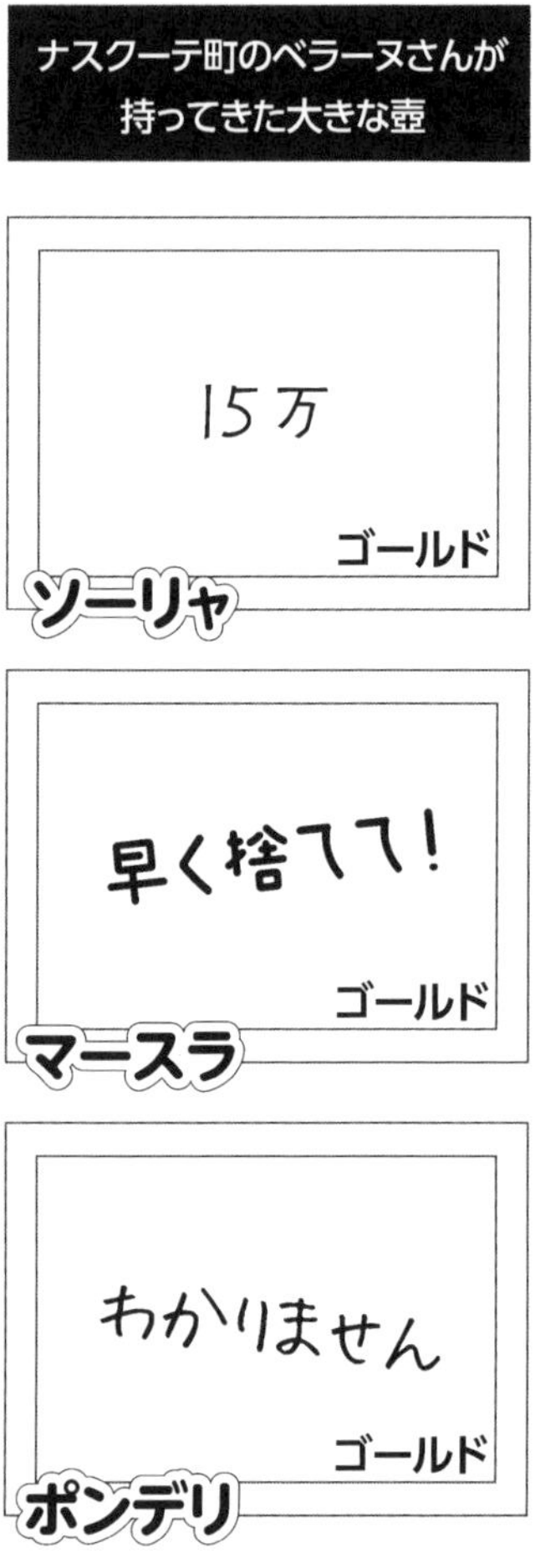

あれ、意外と高い額が出た。まず、ソーリャ。
「八十万の価値はありませんが、壺としてはいいものなのですよ。トッコナン製のものですね。

あっ、ちなみに会場を盛り上げるために少し高めに設定してる部分はあります。それと、この値段で骨董品の店は買い取ってくれませんのでご注意くださいなのですよ」

その本音は言っていいのか。

一方、マースラは困った顔をしていた。

「いや……不幸を断ち切るどころか、危ない魔法がかかってますね。早く捨てましょう……。割ったら割ったでよくないので、山中にでも放置して、とっとと退散するのがいいと思います。あるいはムカつく人に売ってしまうとちょうどいいかもしれませんね」

マースラが青ざめているので、よろしくないものだったらしい……。

「多分ですけど、売った人が逮捕されたのも呪いによるものでしょう……」

売りつけたほうが呪われてたのか！

なお、ポンデリは、

「大きな壺ですね」

すごく浅い感想を発言していた。もう、おもちゃじゃない時はポンデリに発言させないほうがいいと思う。ポンデリも困るだろう。

でも、会場はなかなか盛り上がってきていた。

企画としては面白いかもしれない。予想していたとおりだけど、ライカとシャルシャがとくに熱心に見入っている。

そのあともお宝は続々と持ち込まれ、鑑定された。

レストラン『冴《さ》えた鷲《わし》』の店主が持ってきた絵（本人は十万ゴールドと予想）は、

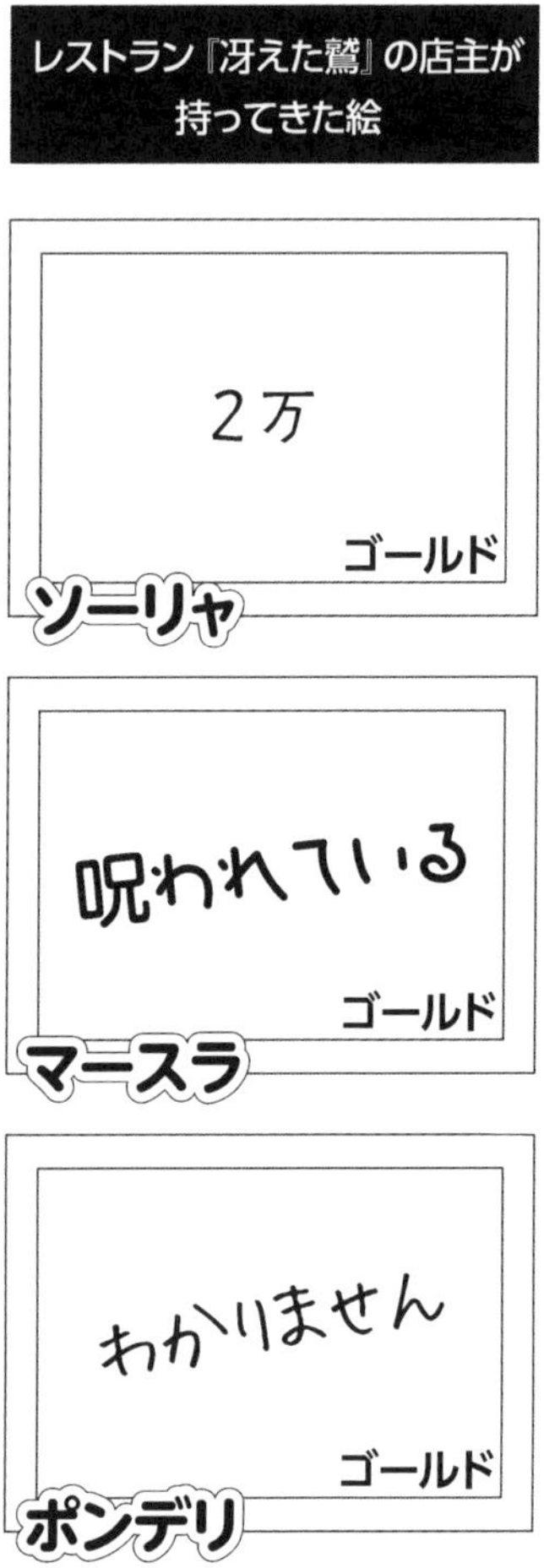

偶然、フラタ村に来ていた男の冒険者が出した護符（本人は二万ゴールドと予想）は、

フラタ村に来ていた冒険者の護符

ソーリャ：スバラシイ！ 20万 ゴールド

マースラ：呪いをかけるのに最適 30万 ゴールド

ポンデリ：かっこいい ゴールド

ギルドのナタリーさんが持ってきた少女の人形（本人は五千ゴールドと予想）は、

ギルドのナタリーさんが持ってきた少女の人形

ソーリャ：2万ゴールド？ ゴールド

マースラ：髪が勝手に伸びている ゴールド

ポンデリ：1万ゴールドと少し ゴールド

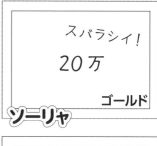

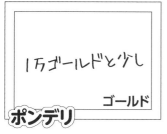

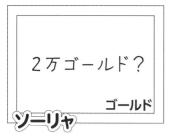

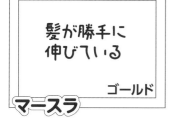

などなど、どんどん鑑定されていった。

ポンデリも人形が出てきた時はやっと役目を果たせたと思ったのか、少しうれしそうだった。

「あの、アズサ様、呪われてるアイテム多くないですか？」

後ろに座っていたライカが小声で言ってきた。

「私もそれは思っていた……」

全体的に不吉な気がする。

「古くからあるものには、何か想《おも》いがこもっているということなんですかね」

「その可能性はあるのかも……。けど、私たちの持ち物って個人宅が所有してたものの比じゃないんだよね……」

私は暗い顔をして、ステージの横で山になっている、ニンタンからもらってきた宝物の山を見た。

「あれ、片っ端から呪われてますだなんてことになったら最悪なんだけど」

しかも、神に捧《ささ》げたものだしな。誰かが病気になれって祈って寄進したやつとか混じってたらどうしよう。そんなん、最初から怨恨《えんこん》のかたまりみたいなものだぞ。

ライカがぶるぶるとふるえた。

「アズサ様、そういう怖いことは言わないでください……。その手の話はダメなんです……」

「ごめん、私も得意じゃないのに言っちゃった……」

「二人とも、幽霊のアタシが住んでるのに苦手すぎませんか？」

ロザリーが私たちの上から言ってきたが、そういう問題ではないのだ。怖いものは怖い。

「呪いって言うても序の口やろ。あの程度やったら誰も死なんし、まして家が滅ぶようなこともないわ。誤差やって、誤差」

悪霊の王であるムーがそう言ってたが、基準がおかしい。

鑑定自体はどんどん進んでいき、ついに名前が呼ばれた。

「はーい、次がラストになります。高原の魔女様とそのご家族です！　どうぞ！」

私の名前が呼ばれたので、私は出ないわけにはいかないが、これを主導したのはハルカラなので、ハルカラもステージに連れてきた。

久しぶりに村の注目を集めている。まあ、これぐらいのことならいいか。

「高原の魔女様、今回持ってきていただいたお宝はどちらになりますか？　といっても、多分、ご覧の方はすでに気づいていらっしゃると思いますが」

ナタリーさんが司会者らしく、話を振ってくる。小さい村なのでギルドの職員以外にもいろいろやらされて大変だなと思う。

「背後のアレ一式です。ニンタン大聖堂からいただいたものですね……」

ステージの横にいかにも文化財ですってものがずらっと並んでいる。

骨董品の店の引っ越しみたいな状態になっていた。

「ここからはハルカラさんにお聞きしますね。ずばり、目標金額はいくらですか？」

ハルカラもボードみたいなのを持っていた。事前に用意していたようだ。

「はい！　ババーン！」

ハルカラが掲げたボードには「五億」と書いてあった！

大きく出たな！

それと、きっちり右下に「ハルカラ製薬の『栄養酒』」と書いてあった。隙あらば宣伝するスタイル。いっそ潔いと思う。

「五億ですか。これまでの方と比べてもダントツで巨大な額ですが勝算は？」

「いや～、こういうのって大きな数字を出したほうが盛り上がるじゃないですか。しかもトリなわけですし」

「お気づかいありがとうございます」

変なところで空気を読んでるな。

「さて、数が多すぎるので、早速鑑定騎士団の皆さんには鑑定をはじめていただきましょう！　それまでの時間は……どうしましょうかね……。こんな時間がかかりそうなのが来るのは予想外でしたんで……」

ナタリーさんのアドリブ力も限界が来ているらしい。そりゃ、店がそのまま来たみたいなのを出張鑑定で持ってこられることは想定外だろう……。すみません……。

「ええと……高原の魔女様、歌は歌えますか？」

「そんな無茶振りやめて！　宴会の席じゃないんだから！　そこは鑑定に関することでつないで

よ！」

村の守り神みたいにあんまり尊敬されるのもやりづらいが、お助けキャラのように気楽に利用されるのも楽しくないぞ。

「こほん……わかりました。では鑑定騎士団の方のお店などをご紹介しましょう」

なるほど、宣伝で時間を稼ぐのか。

「ポンデリさんの経営する『ゲームセンター　ポン☆デリ』は魔族のヴァンゼルド城下町の、第七裏路地通りと、刑場橋筋の境あたりにあります」

会場の村の人から「行けない」という声が聞こえた。

魔族の世界だからな……。

「こちら、様々なゲームが稼働しているということですので、よかったらいらしてください」

ポンデリが出てきて、手を振っていた。鑑定しろと思うが、ポンデリの対応できる範囲外のものしかないんだろう。

「また、ポンデリさんはカードゲーム『ケット・ケットー』のデザイナーで、『カードゲームショップ　デッド・オア・アンデッド』の店長でもあります。こちらも毎週、大会や各種イベントをやっていますので、ぜひお越しください」

「こっちのお店は渡りドワーフ通りを中央筋から入ったところにありますよ～」

ポンデリが住所を補足した。

また会場から「行けない」との声がした。魔族の土地でやってる時は意味もあるんだろうけど、フラタ村からは遠すぎる。

「はい、続きまして、魔法使いマースラさんの工房ですが、こちらは完全に秘密となっているそうです。興味のある方はお越しください」

後ろで見物してる魔族からも「行けない」という声がした。

そもそも、それは宣伝じゃないだろ。

「最後にナーガのソーリャさんの経営する『古道具　一万のドラゴン堂』はグール橋通りと邪神教会のぶつかるあたりにあるそうです。巨大なドクロが目印――だそうです。宣伝している私も行けませんから、よくわかりません」

会場から「行きたくない」という声が上がった。

この宣伝、ほぼ意味がなかったな！


しかし、ハルカラがこんな機会をみすみす逃すわけがなかった。

「はーい！　ナスクーテの町で元気に営業してます、ハルカラ製薬です！『鑑定騎士団の会場にいた』と言ってもらえれば、明日から三日間、直営店で『栄養酒』一本が購入時におまけでついてきます！」

「行ける！」という声が会場に響いた。やっと、行ける場所が宣伝された。

「それと、銘菓『食べるスライム』も好評発売中です。心がほっとする甘いスライムをぜひお買い求めください。家族へのお土産にも、大切なあの方への贈り物にも。『食べるスライム』は好評発売中です」

宣伝がやけにこなれている。商売人として長いだけあるな。

ふと思った。

今の時間って、もしやテレビのCMの時間に相当するのではなかろうか？

あと、宣伝ができると思ったのか、ほかにも知ってる顔が出てきた。

松の精霊ミスジャンティーがステージに上がってきた。

——松の巨木を背負いながら。

インパクトはあるけど、異様だぞ！

「大切なあの人と大切な時間を。松の精霊ミスジャンティー神殿での思い出に残る結婚式——っス！」

そのまま、ミスジャンティーは退場していった。

「あれ、誰？」「神殿の関係者の人だろ」「重そうだったな」

そんな声がしている。

フラタ村の人はミスジャンティーを松の精霊だと認識してないのだ。宣伝のためにいきなり一般人にも姿を現したんだな……。

そのあとも数人、フラタ村とナスクーテの町のお店が宣伝のためにステージに上がったが、そうしている間も鑑定騎士団のソーリャとマースラの二人がいろいろとチェックをしていた。

「うわ〜、いいものなのですよ」「ああ、やっぱり装備すると呪われるようになってる」「これもなかなか」「ああ、こっちもいわくつきの一品ですね。奉納者の血で染めてますね」「これ、マコシア負けず嫌い侯が奉納したやつですよ」「負のオーラがすごい」

鑑定騎士団のほうからちょくちょく怖い言葉が聞こえてくる。

そもそも高原の家に置いておいて大丈夫だったのだろうか？

「おっと、ここで査定結果が出たそうです！　では、見せていただきましょう！」

ついに数字が明らかになる！

ハルカラはぎゅっと手を握り締めて、何か祈っていた。

目標額に達しますようにということだろうか。どうせなら高いほうがうれしいという気持ちはわかる。

でも、超高額だと、それはそれで管理が大変だし、いっそ安物でもいいかも？

私としては、ありのままに言われた金額を受け入れるだけだ。

さあ、査定額は⁉

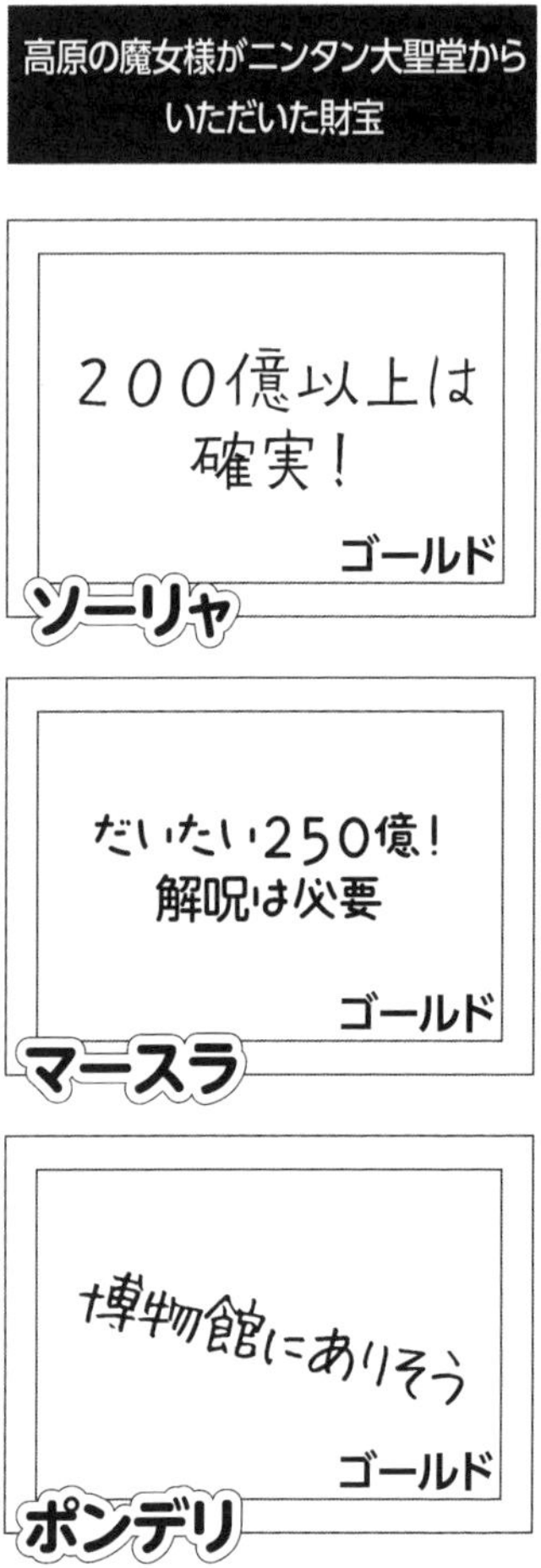

「すごい額が出た！」

呆然《ぼうぜん》としてしまうような数字だ。

会場からも驚きの叫びがいくつも響いた。

「お師匠様、やりました！　勝ちました！」

「勝ったって、何に!?」

そのままハルカラは抱きついてきた。よくわからないが、勝利を喜んでいるらしい。たしかに喜ばしいことではあるけど……。

「すごい額ですねっ！　とてつもない数字が出ました！　司会をしてる私も一割ぐらいほしいです！　さらにその一割でもいいです！」

ナタリーさん、本音が出てる！

「さあ、鑑定騎士の皆さんにご説明をお願いしましょう！」

マースラがまず答えることになった。

「素晴らしいアーティファクトがいくつも入っています。魔法使いの視点から見ても見事なコレクションですし、当然、しかるべき展示や保存がされるべきです。ニンタン女神という古い神の信仰のあつさ、また奉納品に彫られた地名から信仰圏の広さも感じられます」

おお、本格的な説明だ。

「ただ、念が強くこもっているアーティファクトも多いです。本来、捧げられたニンタン女神以外があまりべたべた触ると、災いを成すものも混じってますので専門の解呪はしましょう」

そりゃ、神頼みで高級なものを奉納したケースもあるだろうからね……。

ロザリーがふわふわこっちに浮いてやってきた。

「いやあ、置いておくだけで誰かが不幸になるレベルのはないから、そんなに気にしなくてもいいですよ。盗まれると、その人が危険なことになるおそれはありますけど」

「ああ、置いておくだけなら大丈夫ということか……」

でも、泥棒が来て、盗んだ三日後に死んだなんてことになると後味も悪いし、解呪はしておこうかな。どうやら、私ができるレベルの魔法では無理で、もっと特別な解呪が必要なようだが。

次にソーリャが解説する番になった。

「数が多いので細かな鑑定は日を改める必要がありますが、どの品もニンタン女神に奉納された正真正銘の品で間違いないのですよ。年代も多岐にわたっていますが、とくに神が使うことを想定して作った机と椅子のセットは、千年前にナスナ豪胆公が寄進したことが史料からも確認できるものであり、大変貴重なのですよ。ほかの個別の説明は省きますが……個人の家に適当に置いておいていいものではないので、管理方法を考えてほしいですよ」

ソーリャの額に汗が浮かんでいたので、ただ事ではないことなのは確かなのだろう。

あと、ハルカラが私にずっと抱きついていたので、丁重《ていちょう》に離した。ハグはいいのだけど、まあまあ時間が長い傾向にある。

会場の誰かが拍手をして、それがきっかけになって、スタンディングオベーションのようになった。

私としては、もらったものの値段を調べてもらっただけなので、気恥ずかしさもあるのだけれど、すごい結果になったことは本当なんだろう。

「さあ、高原の魔女様、ご感想をどうぞ」

ナタリーさんに話を振られた。

「ええと……ご声援（？）ありがとうございます。それと……盗まれないように気をつけたいと思います」

高原の家は本当に高原の中にぽつんとあるので、不審な人間がやってくるとわかりやすいというのは、防犯上まだマシではあると思う。

今度から、結界用の魔法を重点的にかけておくか。

「ハルカラさんも何かありますか？」

「『ハルカラ製薬』が業績不振になっても安心です！　その場合はコレクションをオークションに出そうかと」

生々しいことは言わなくていい。

とにもかくにも、ニンタン女神からもらった宝物一式は、文句なしの宝の山ということが明らかになったわけだ。

でも、これで本当に保存やら管理やらをやるしかなくなったな……。

私は宝物に目をやりながら、そんなことを考えた。

イベントが終わり、ムーはワイヴァーンに乗って帰っていった。「今度、王国の宝物も鑑定してもらおかな」と言っていたけど、それ、オーパーツみたいなものも含まれてそうだから、やめてほしい。

お客さんたちも去っていったが、私たちは宝物を持って帰らないといけないので待機している。

そこにポンデリがやってきた。後ろに残り二人の鑑定士さんもいる。

「今からこの村にある『冴えた鷲』というお店を借り切って打ち上げをするんですが、いかがですか？」

ほかに打ち上げで使えるような店はフラタ村にないものな。

さすがにこれは出席するべき打ち上げか。

「はい、家族総出でも大丈夫ですかね？」

「もちろんです」と後ろのマースラは笑顔でうなずいた。

まさか昔から使っていた村のお店が、魔族たちの打ち上げ会場になるとは思ってもみなかった。

◇

私たち家族は『冴えた鷲』で鑑定騎士団の面々の打ち上げに参加した。人数も多いし、席は決めずに各自で勝手に移動するスタイルだ。

料理をとっていると、ポンデリがやってきた。

「お久しぶりですね、アズサさん。すごいものをお持ちですね～」

「いやあ……たんなる貰いものなんだけど、むしろ貰いものだからこそ、とんでもないものがたまりあったのかな」

ドヤ顔するところではない気がしたので、ひとまず謙遜した。

マースラも私のところにやってきた。そうだ、シローナのこともあるから、ちゃんとあいさつをしておかないといけないところだった。

「お久しぶりです。スライムの精霊のシローナもお世話になったらしくて……。ありがとうございます。私が義理の母らしいので、お礼を」

「いえいえ、シローナさんは変わり者の中の変わり者でしたが、気合いだけはありましたから」

「やっぱり変わり者ですよね……」

子供のことで学校の先生と話している気分ってこういうものなのか？　むずがゆいぞ。

「変わり者ですが、真面目《まじめ》な変わり者でしたから大丈夫です。どうしても敵を作りやすい性格ではありますけど、冒険者の世界は競争社会のようですし、ちょうどいいかもしれませんね」

「ですね……。もうちょっと友達が多いほうが安心はできるんですが」

完全に母親目線での話になってしまっている。シローナ本人がいたら、母親面するなって確実に言ってくるだろう。

今回が初対面のナーガのソーリャとも話をした。彼女はやたらとゆで卵をとっている。

「いやあ、人間の土地での出張鑑定は聖マドクワの祝日だと前例がないこともないんですが、まさかあんな掘り出し物があるとは思いませんでした。何があるかわかりませんですよ」

まだ、ソーリャは少しばかり、ぼうっとしているところがあった。

「びっくりして脱皮するかと思いましたですよ」

「ナーガになったことがないので、その感覚は謎です」

蛇の部分があると、そういう生理現象もあるらしい。

「ああ、それでも、過去にも人間の土地には来てたんですね」

聖マドクワの祝日なら、人間側も魔族を受け入れやすいというのもあるだろうが。

「はい、魔王様にこんなところはどうだと提案されて、それで行っていたですよ」

ここで、またペコラの影がちらつくのか！

「鑑定騎士団は形式上は魔王様に仕える者なのですよ。といっても、武勲《ぶくん》をあげるようなことは求められてなくて、魔王様の宝物の管理などをするのが職務ですが」

「あ～、王室お抱えってことですか」

それで腑に落ちた。

古今東西の王室は偉大なコレクションを持っているものだけど、王様本人がそれをすべて把握できるわけもない。それ専用の職員は必須のはずだ。

それが鑑定騎士団ということなのだろう。魔王直属ということであれば、騎士団という名前がついていても、さほどおかしくはないのだと思う。

「ただ、今年はフラタ村という小さい村に行けというご命令だったので、最初は正直なところ『なんでかな？』と思っていましたですよ」

すべて、ペコラが仕組んだことか！

いや、ペコラが上にいると聞いた時点でそうなるよね。

しかもペコラは私がニンタンから宝物をもらったことも知っているはずなのだ。ベルゼブブかファートラあたりが報告しただろう。実はペコラの手のひらの上で踊らされていたのか……。

「魔王様の話によると、ダーツを地図に投げて刺さった場所がこのフラタ村だったそうです。文句があるならダーツに言ってくれということでした」

ソーリャはそう言ったが、ペコラは絶対にダーツなど投げてない。賭けてもいい。決め打ちでここを選んだだけだ。

「そしたら、このようなお宝が眠っていたので、いやあ、いいものを見せてもらいましたですよ。

ありがとうございましたですよ」

「喜んでいただけたようなら光栄です。自分の功績の部分がどれだけあるのか怪しいんですが」

「で、一点物の品でしたら、大切に保管してくださいと言って終わるのですが」

そこでソーリャの目がきらんと光った。

「とても、素晴らしいコレクションなので、大切に大切に後世に残しておいてくださいですよ。文化財保護をお願いしますですよ」

「そうなりますよね……」

もう、これは個人の所有物というより、国レベル、あるいは世界レベルの宝なのだ。

厄介ではあるが、どうにかするしかないか。

「その点なら、多少の考えがあります」

そこに割って入る声があった。

ハルカラだ。

でも、その時のハルカラを見て、私は強い違和感を覚えた。


「打ち上げなのに……酔ってない!?」


こ、こんなことがあるだろうか。にわかに信じられない。幻覚でも見せられているのか？

「この問題の重要性はわたしも認識してますよ。だから、断腸の思いでお酒を飲まずに我慢していたんです」

「ハルカラ、そこまでの覚悟を……」

「話がついた時点で、取り返すだけ飲みます」

じゃあ、今日も吐くのは確実だな。むしろ、短時間でたくさん飲むから余計に吐くと思う。

そのあと、ハルカラは本格的にソーリャと話していたので、保管の問題はきっと大丈夫だろう。仕事をする時のハルカラは信頼できるのだ。

なお、それからどんどんお酒を入れて、やっぱり吐いていた。

酒を飲み出したハルカラの言葉は絶対に信じてはいけない。今回も「大丈夫でふおえええええっ！」と大丈夫と言いながら吐くという高度な技をやっていた。

「も、もしや、これは奉納品の呪いによるものですか……⁉」

マースラが「お酒によるものですよ」と笑顔でツッコミを入れていた。私じゃなくてもツッコミを入れたくなるよね……。

シャルシャは文化財についての話をソーリャとマースラから興味深そうに聞いていた。専門家と話ができるチャンスなんてそんなにないものね。

「よくできたお子さんなのですよ。将来が楽しみなのですよ」

そのあと、ソーリャにそう言われた。

「でしょう？　自慢の娘なんですよ。ふふふふふ」

娘を褒められるのってすごくうれしい！　自分が褒められる時よりはるかにうれしい。

全体として見れば、鑑定騎士団との打ち上げはとってもよいものでした。

◇

その後、ハルカラはライカにお願いして、ナスクーテの町に何かを作ってもらっていた。

ライカだけでなく、フラットルテも石をどこかで切り出して運んできているようだった。

詳しいことは聞いていないが、ハルカラの目が真面目な時は信じてもいいだろう。問題があるようならライカが止めるだろうし。


——そして約三週間後。

「お師匠様、ついに完成しました！」

「ああ、何かナスクーテの町に作ってたよね」

ただし、だいたいの予想はついていた。

ニンタンの宝物を保管する倉庫だろう。

「『ハルカラ製薬博物館』ができましたよ！」

「予想よりもすごいものができてた！」

そのレベルのものを作る時は言っておいてほしいぞ……。

そこにライカもやってきた。

「アズサ様、今から博物館までご案内しますね」

「ああ、うん……。見ないわけにもいかないだろうし、しっかり確認しにいくよ……」

「自分の身近に博物館ができるだなんて、とてもうれしいです！」

ライカは満面の笑みだった。

一日、博物館で時間を使いそうなタイプなので、ライカにとったら最高だろうなと思う。

で、ナスクーテの町の郊外にできた博物館にやってきた。

ライカに乗っての移動中にハルカラから聞いたが、郊外でないと土地が確保できなかったのだということ。それはそうだろう。

ハルカラ製薬博物館はまさに自分のイメージする博物館そのものだった。

白亜の神殿みたいな大きな建物で、柱もエンタシスっていうんだろうか、神殿ぽさがある。

ただ、柱の上のほうに何か文字が刻まれている。

フラットルテ様が彫った

工事関係者が自己主張をしている……。まあ、見えづらいところだからいいだろう。

中に入っても、ずらりと宝物が展示されていた。

展示物を示すパネルまでしっかりと置かれている。

「オープンはもうちょっと先になると思いますが、保管スペースとしてはこれでいいかなと考えてます。地下にもフロアがあるので、そこを収蔵庫にしようかな～と」

ハルカラがとうとうと説明してくれる。

「うん、もう好きなようにやりなさい。すべて、あなたに任せた……」

「それと、あっちは特別展示室になってるんですよ。お師匠様も見ていってください」

そう言われると行かないわけにもいかないので、私はハルカラに続く。

ハルカラ製薬の歴史

ここではこの博物館を作った会社である
ハルカラ製薬について解説します。

会社のコーナーがある！

しかも、やけにきりっとした顔のハルカラの肖像画まで置かれている。よくこんなことやろうと思ったな……。

「どうです？　上手に描けてますよね。威厳がありますよね」

「うん……上手な絵であることは認めるよ……」

会社がお金を出して作ったのだったら、何も言うまい。悪いことをしているわけじゃないんだし。

ただ、ファルファがその肖像画を見て、首をかしげていた。

「ファルファちゃん、何か問題でもありました？」

「ハルカラさん、これだと……なんだか死んだ人みたいだよ……」

「そんな！　お酒で意識はなくなるけど、元気に生きてますよ！」

「意識なくなることまでわかってるんだったら、少しはセーブしなさい！　いくらなんでも健康に悪いから！」

久々に師匠として叱った気がするぞ。

ハルカラ製薬博物館は入館料五百ゴールドだそうです。

悪霊と心霊スポットに行った

She continued destroy slime for 300 years

その日、私は初めて訪れる南の町を歩いていた。

そこは悪霊が住んでることで（私の周辺では）有名なサーサ・サーサ王国に比較的近かった。ちなみに、私を送り届けてくれたライカは別の用事があるらしくて、ほかの山に向かった。

今は幽霊たちと散歩している。

私の少し前をロザリーと、ムーが歩いている。

ただし、ロザリーは一般の人が見えるようにはしていないので、一般人からはムー一人が歩いているように見えるはずだ。

「ムーの動きも以前と比べれば、マシになった気がする」

ムーは自分の力で体を動かすのは無茶苦茶大変らしいのだが、古代魔法を使って操作するだけなら簡単らしい。

じゃあ、最初から常にそうやっていればいいのにと思うが、自分の実力で動かないようではダメなんだとか。特殊すぎて共感がしづらい妙なこだわりがある。

「ですね。従来は足の裏が地面につく前に逆の足が上がるという状態になっていたこともあったのですが、そこがずいぶんと改善されました」

私の横を浮いているナーナ・ナーナさんが言った。彼女の姿も一般人には見えない。

「それは両足が地上にないってことだよね……」

「その魔法の調整も大変なので、だったら自力で歩くと陛下は言い出したのです。疲労しながら歩いていたのも、発端はそれです。最近では調整が上手になって、違和感なく歩いているように見えますよね」

メールで打つ方法がわからないから手書きにしますみたいな発想だ……。

ところで――前の二人はどんな話をしているんだろう？

ちょっと、前のほうの声に意識してみよう。

「このへんは悪霊の数が少ねえんだな」

ロザリーの目からするとそう見えるようだ。

「平和な町やしな。陰惨な事件もあんまりないから悪霊もできづらいんやわ。もっと悪霊、増えてくれたほうがおもろいんやけどな～」

陰惨な事件が起こるようなことを願うな。

「でもよ、ムー、一言に悪霊っていっても千差万別だろ。誰彼かわまず悪さをしてやるっていう性格の悪い悪霊もいれば、ただ、うじうじしてるだけで気の小さい悪霊もいる」

なるほど……。どうやら悪霊にも、ガチのワルの不良みたいなのもいれば、集団生活に溶け込むのが苦手なタイプもいるということか。

「それに、昔は恨んでたけど、今はその恨みもどうでもよくなって、ヤンチャしてた過去があるとは思えない奴《やつ》もいるぜ。アタシも広い意味では、そこに当てはまるしさ」

ロザリーは口調に不良っぽさがあるので、その点もわかる。

悪霊といっても十人十色ということらしい。

それでも、私は怖がりなので、基本的には悪霊や恐怖体験は避けたい……。

ロザリーと暮らしてるし、しかも今も悪霊の国の王や大臣と歩いてるじゃないかと言われそうだが、面識があるならまた話は別だ。どんな人かわかって、コミュニケーションがとれる時点で怖くなりようがない。

「この町はずいぶん穏やかなんですね」

そうナーナ・ナーナさんが言った。

「そういえば、ナーナ・ナーナさんたちは、人間の町にはずっと来ていなかったんですよね」

「ええ。悪霊の多くはその場から動けないので」

ナーナ・ナーナさんがこくんとうなずいた。

「今の私も特殊な古代魔法で強引に移動しています。魔族の方の魔法を参考にしました」

「あっ、魔族の魔法が古代魔法の進歩にもつながってるんだ！」

魔族のほうが古代魔法を使ってなんたらチューバー的なことをやったり、映像を流すみたいなことをやったりしているのは何度も見てきたけど、その逆の影響もあったのか。

「まだ試験段階ですが、これが成功すれば、悪霊が全国を移動できるようになります」

「言葉だけ聞くと、実現するとちょっとおっかないな……」

グローバル化すればいいという問題ではない感じがする。

「それにしても、生者の町というのは大変興味深いですね」

ナーナ・ナーナさんは冷たい顔をしているが、それはそういう表情なだけで、本人は思うところがあるらしい。

この人も、本当は各地を旅行したりしたいのかな。

「やがて、土に還《かえ》るというのにそんなことも忘れて、無邪気にはしゃいでいるところなど微笑《ほほえ》ましいです」

「声が聞こえないからって言い方を考えて！」

私のツッコミも小声だ。でないと、虚空に向かってしゃべっている人みたいに見える。

「いやあ、今の文明はたいして進んでいませんね。いくらでも滅ぼせますよ」

「ナーナ・ナーナさん、国際問題になりそうだから実体化しないでくださいね……」

表情が変わらないから、ギャグだとわかりづらくて怖い。それに、ギャグのつもりでも大臣の立場で言うと厄介なことになるぞ。

やっぱり、ロザリーとムーがしゃべっているのを聞いているほうが平和だ。

また二人の会話に耳を傾ける。

「それにしても、この町って……生きてる奴、生きてる奴、生きてる奴……みんな生きすぎやろ。もっと死んどけや！」

ツッコミが理不尽！

「あっ、あそこの爺《じい》さんはそろそろ死ぬぜ。顔に死相が出てるからな」

全然、平和な話題じゃない！　聞きたくない！

と、ムーの足が止まった。

本当に急停止したみたいになって、前につんのめりそうになっていた。

立ち止まったというか、運転を止めたという感じだ。

「なんだ、ムー？　悪霊いたか？」

「ちゃうわ。うちらが生きてた時代にはなかった店があったんやわ」


ムーが見ている先にはその町の冒険者ギルドがあった。


死者の王国にはギルドはなかったので、どういう施設か気になるのだろう。

そういえば、いつの時代に冒険者ギルドってできたんだ……？　この世界に違和感なくあるけど、運営実態が謎だ。

「じゃあ、アタシが説明してやるよ。時は金なり、命は限りありって言うし、早速入ろうぜ」

「あっ、おおきに、おおきに。ほな、行こか～」

前の二人がギルドに入店した。

トラブルの予感がしたので……私とナーナ・ナーナさんもそれに続く。

中にはいかにも冒険者という腕の太い人がたくさんいた。

この店は女性率が低いので、私が目立つな……。まあ、魔法使い自体はそこまでレアでもないし、いいか。

「へ〜。ここも生きてる奴ばっかやな〜」

「活《い》きがいいけど、ケンカっ早くて、死に急いでる奴が多いんだぜ」

相変わらず、独特の会話だ……。

「おっ、宝石を持ってきてる奴がおるな」

「あれは、モンスターを倒して手に入れた魔法石を換金に来てるんだな」

「ふうん。生きてる者同士で殺し合ってるんか。どうせ、自分も死ぬのにな」

やっぱり生者の常識、通用しないな……。

「あの掲示板は何なんや?」

「ああ、あれは依頼用の紙を貼ってるんだな。悪さをするモンスターを倒してくれとか、いなくなった犬を捜してくれとか書いてるのさ」

ロザリーもギルドのことはすっかり詳しくなっている。

ムーと一緒にいることで、ロザリーも成長しているように感じる。とってもよいことだ。

「むっ、こんな依頼まであるんか」

ムーがとある依頼の紙に興味を示したらしい。

どれどれ、悪霊視点だと、どんなものが気にかかるのだろう。

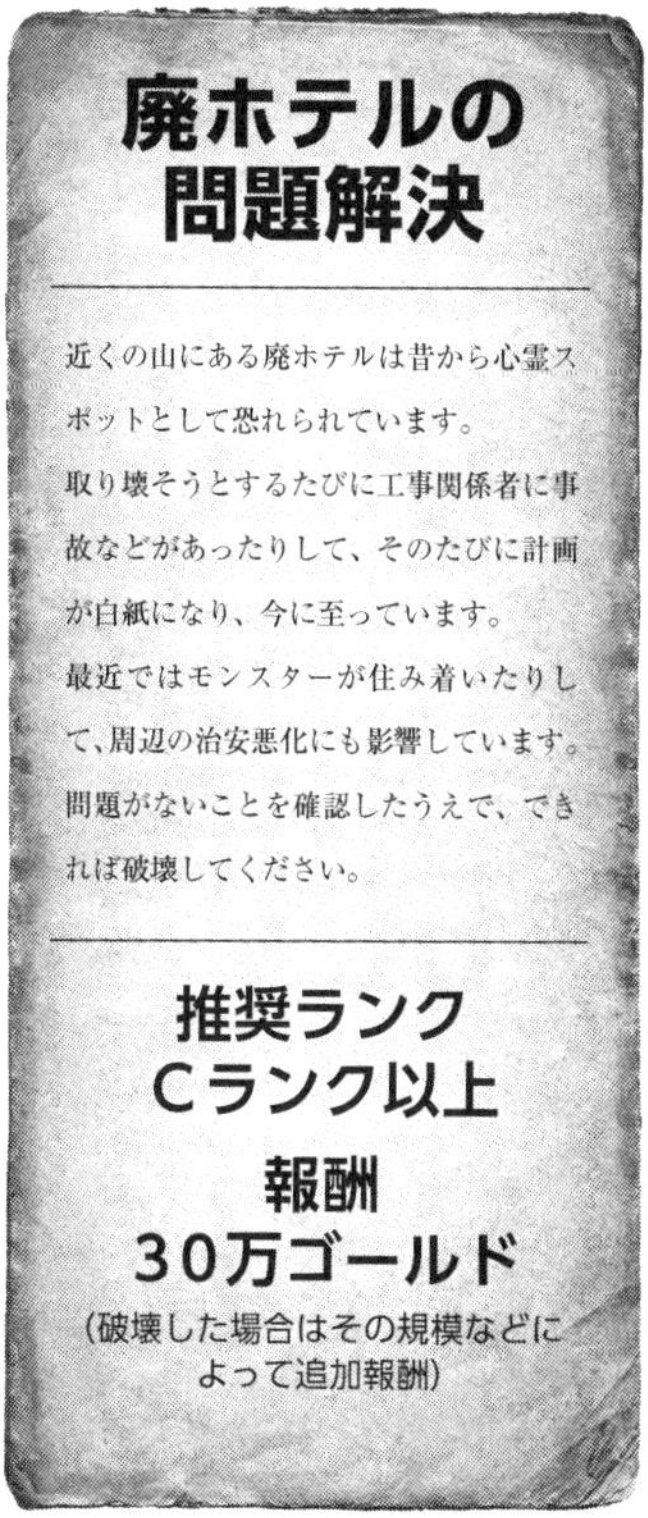
廃ホテルの問題解決

近くの山にある廃ホテルは昔から心霊スポットとして恐れられています。
取り壊そうとするたびに工事関係者に事故などがあったりして、そのたびに計画が白紙になり、今に至っています。
最近ではモンスターが住み着いたりして、周辺の治安悪化にも影響しています。
問題がないことを確認したうえで、できれば破壊してください。

推奨ランク
Cランク以上
報酬
30万ゴールド
(破壊した場合はその規模などによって追加報酬)

悪霊が関係してそうなやつ！

そりゃ、悪霊も興味を持つだろう。

けど、冒険者ギルドにおける依頼内容としては、案外まっとうなものかもしれない。

場所柄、モンスターも巣食っているかもしれないようだし、冒険者に任せるべき内容だ。

ちょうど、近くを通りかかった冒険者たちがその依頼の話題を話していた。

「あの廃ホテルのやつ、まだ出てるんだな。お前、行ってみろよ」

「嫌だよ……。俺、怖いのは苦手なんだって……」

冒険者でも怖い話がダメな人はいるようだ。とても共感できます。

もっとも、この場に悪霊がけっこう来てるってことまでは認識できてないらしいので、この人たちの霊感はあまり強くないと思うけど。

と、そのうち一人がナーナ・ナーナさんの体を通り抜けた。

「うっ！　今、猛烈にぞくぞくしたぞ！」

その冒険者が自分の手で両腕をかき抱くような格好をした。

「おいおい、依頼について話題にしただけで呪われたとでも言うつもりかよ」

「いや、このへん、おかしなスポットあるぞ……。そのあたりを通るとやけに涼しくなった……」

この二人、ナーナ・ナーナさんがいるあたりを示して話をしている……。

すると、ナーナ・ナーナさんがもう一人の冒険者を通り抜けていった。

「あれ……？　俺も悪寒がしたぞ……？」

「なっ？　このへん、おかしいって。ちょっと、気味悪いから離れようぜ……」

冒険者二人は逃げるように去っていった。そこまで強そうでもなかったし、無理して廃ホテルに行かなかっただけよかったのかもしれない。

一方、ナーナ・ナーナさんは何かしきりにうなずいていた。

「人間に重なると、悪寒を発生させることができるんですね。今後の参考になります」

「あんまり悪用しないでくださいね……」

この人は言動に悪意があるタイプなので気をつけたい。

ロザリーとムーの二人はまだあの依頼を眺めていた。

「ふうん。これ、おもろそうやな」

悪霊も心霊スポットは気になるのか。むしろ悪霊だからこそ、気になるのだろうか。

でも、ムーの反応は気になるという次元では終わらなかった。

「よっしゃ、暇つぶしにこの廃ホテル、行ってみようや！」


えっ？　行くの？

「そうするか。たしかに、あまりに迷惑な悪霊だったら注意するぐらいのことはできるしな」

ロザリーもついていく気満々のようだ。

自分がまさに地縛霊だったから気になるところもあるのだろう。

「安住の地を荒らすなっていうなら一理あるが、危害を加えまくってるなら、それはやりすぎだから止めたほうがいい。話を聞けば手打ちもできるかもしれねえしな」

うん、その意図はわかる。元不良の人が不良の更生に手を貸すようなところがある。

けど………二人だけに任せるのは不安がある。

万が一ということもあるし、保護者として私が行くべきなんだろうな……。悪霊の仕業かどうかわからないところもあるし。

ただ、怖くはある。廃ホテルに行くなんてごめんこうむりたい。

――と、いきなり肩にぞくぞくっと悪寒が走った！

「ひゃうっ！」

ナーナ・ナーナさんが肩に手を置いていた。

「あっ、敏感肌ですね」

「余計なことしないで！　あと、敏感肌の使い方がおかしい！」

ナーナ・ナーナさんがほかの人に見えないのについ、本気でツッコミを入れてしまった。そのせいで、一部の人から変な目で見られた。私はあくまでも被害者です。

「アズサさん、大変申し訳ないのですが、陛下が廃ホテルに行く気らしいので護衛のためについてきてもらえませんか？　私だけでは不測の事態があるかもしれませんので」

そうやって頼むんだったら、直前にいらんことするなよとは思う。

しかし、拒否もしづらいな。

「わかった。行くよ……」


なおその後、合流したライカに、一緒に廃ホテルに行くかと尋ねたら、

「我はそういうのは、ちょっと……」

と同行を拒否された。

やはり、強さと怖い話が得意かどうかはまったく別なんだよね。

ライカと戦う人は怖い話をしまくれば、有利になるかもしれない。

具体的に話をする前に、炎を吐かれる危険もあるけど……。

◇

そして、草木も眠る真夜中。

サンドラいわく、だいたいの草木は寝ているらしいので、その表現に間違いはない。

私と悪霊三人の合計四人は例の廃ホテル、『バサド山観光ホテル』の前にやってきていた。


「――って、なんで、わざわざ真夜中に行くの⁉」


昼間に来ればいいじゃん！　怖くなる時間にしなくてもいいじゃん！

「それは、真夜中のほうが出るからです」

目の前のナーナ・ナーナさんは、ぼわあっと顔のあたりだけ発光していた。

「怖っ！　何してるんですか！」

「古代魔法を使っています。夜でも灯かりがあって、便利でしょう」

私を驚かそうという、純度百パーセントの悪意しか感じない。

「いや、姐《ねえ》さん、本当に悪霊がいるなら、夜のほうが出てくることが多いからわかりやすいんです。

なので、時間としては正しいチョイスなんです」

ロザリーの発言には悪意はないから信じていいはずだ。

「せやせや。悪霊は夜型の奴が多いからな。なんでも、夜型の生活送ってるほうが霊魂がこの世に留《とど》まる率が高いらしい。夜型のほうがどっちかというと不健康やろ。そういう奴のほうが、不満もあるんかな」

霊が夜に出るのって、生前、朝型だったか夜型だったかの問題なのか？

「夜のほうがいいのはわかった。どうも、事実上、私一人だけ心霊スポット体験をさせられてる気がしないでもないんだけど」

なにせ、自分以外全員悪霊なんだよな……。

廃ホテルは廃ホテルだけあって、入り口のドアも蝶《ちょう》つがいが片方壊れて、ふらふら上のほうでひっかかっているだけのようになっていた。不法侵入し放題の状態だ。

「ところで、これってギルドの依頼を通してじゃなくて、勝手に来てるんだけど、実は不法侵入なのでは……？」

私はボロボロのドアの前で立ち止まって言った。少なくとも、前世の日本だと廃墟に勝手に入るのも法的にアウトだったはずだ。

「姐さん、そこは大丈夫らしいです。所有者も死んでますから、誰が入ってもＯＫですよ」

ロザリーがすぐに教えてくれた。

「あ、よかった。でも、ロザリー、よく知ってたね」

「ちょうど、所有者がいたんで、すぐに聞けたんですよ」

「え？　所有者はすでに死んでるって、今言ったばかり……」

ロザリーがドアの横の壁を指差していた。

そこには一箇所、薄汚れたシミがある。

つぶれたホテルだし、掃除もされてないから、それ自体はおかしくないのだが——

おわかりいただけただろうか？


そのシミが、どことなく人の顔のように見える！


「赤字続きでホテルがつぶれて、生活苦のうちに死んだ所有者の霊です。見えますか？」

「きゃーっ！　顔みたいだと思ったら、本当に霊だった！」

「あっ、姐さん、それはただのシミです。もうちょっと横のほうです」

「な～んだ。違うんだ。——って、結局、悪霊がいるじゃん！　いることには変わりないじゃん！

一度ほっとして損した！」

それに、ホテルに入る前から恐怖体験をさせられるの、納得がいかない。出るのが早すぎる。映画で言えば開始三分でクライマックスが来たようなものだ。

私にとったら、ここがクライマックスぐらいのほうがうれしいんだけど……。

「お～。すごいわ、すごいわ」

なぜかムーが拍手をしていた。

「アズサ、自分、ツッコミにキレあるやないか。成長しとるなあ。おもろなってるで」

「心霊スポットでツッコミについて褒めるな！」

あまりにも場違いすぎる。

「皆さん、楽しそうで何よりです。バカみたいに楽しそうですね」

ナーナ・ナーナさんの言葉にやはり悪意が感じられる……。

「姐さん、ここの所有者が言うには、悪霊がホテルに住み着いて困ってるそうです」

「なるほど。あれ……？　それ、おかしくない……？」

どうも、話が混線してきたぞ。

「廃ホテルって場所に強い想《おも》いがある人って、まさしくその所有者の霊だと思うんだけど。そのほかに何が廃ホテルに居着いているわけ？」

「そのあたりも聞いてみます」

ロザリーは虚空に目を向けた。実際は所有者の霊がいると思われる。

「ああ、それは大変だなあ。いやあ、因果なことだぜ。義理も人情もねえな。ほんと、浮かぶ瀬もねえってもんだぜ。涙も枯れて出ねえや。けど、くさくさしてもしょうがねえ。ここはアタシらに任せてくんねえ。なあに、体は腐っても心までは腐ってねえぜ」

なんか、江戸っ子っぽい語りだな。

ムーとナーナ・ナーナさんも所有者の言ってることが聞こえるらしく、うなずいたりしていた。

今更ながら、私が参加する意味ってあまりないな。保護者みたいな役回りだから、しょうがないのだが。

「姐さん、このホテルは倒産してから、心霊スポットとして人気が出ちゃったそうです」

「うん、そこまではわかる。所有者の霊もいるし」

「で、ひやかしに来た人間が不慮の事故で死んじゃったらしいです。で、そいつが『心霊スポットになんて行くんじゃなかった……無念だ……』という想いを残して悪霊になってしまったんで、取り壊しもできなくなってるんだそうです」

「ウソから出た真《まこと》！」

すべてはひやかしに来て死んだ奴のせいだ。

「所有者としては踏ん切りもついたみたいなんですけど、ホテルがずっと残ってることが気になって、ここから動けないそうです。なので、早くホテルが更地《さらち》になってくれないかなと思ってるとか」

留まってる霊からも建物を壊してくれって要望を受けるって予想外にもほどがある。

「ところで、ここのホテルはなんでつぶれてもたんや？」

ムーも所有者に聞いた。

入り口の時点で、いわくがすべて解明されていく。

けど、たしかにホテル自体がつぶれたのは事実だ。

もしや、その時点で、何か問題があったんじゃ……？

「あ～、値段が高い割に接客が悪くて、普通に不人気でつぶれたんか」

ものすごく自業自得！

「人が来んから利益を出すために値段を高く設定して、社員への給料を下げたら、値段も高いし接客も最悪やしってていうホテルになってしもて、いよいよ客が来んようになって寂れたんやな。悪循環やで」

ただ、商売が下手なだけか！

「そこまで商売で失敗すれば地縛霊になりそうなぐらい、自己嫌悪もしますよね。バカとしか言いようがないですもんね」

ナーナ・ナーナさんの口の悪さは別として、言ってることは正しい。

「もうちょっと将来性を見据えた経営をしてほしかった。そしたら、こんな心霊スポットが生まれることもなかったのに」

「アズサさん、将来性を見据えられる人間なら、自殺せずに打開策を考えたはずですよ。バカは死んでも治りません」

「ナーナ・ナーナさんがそのうち悪霊に呪われそうで怖いです」

「経緯はややこしいですが、行けばわかるでしょう。いいかげん入りましょう」

ナーナ・ナーナさんが顔だけをドアの奥に入れた。首が切れてるみたいに見えるので、中途半端に入らないでくれ。

「よっしゃ、行くで。どんな悪霊がおるんやろ？」

ムーもドアを乱暴に開けて、中に進んでいった。

しょうがない！　私も行くしかない！


しかし、入った途端――

「うわっ！　なんや、これ！」

ムーの悲鳴が！　本当に序盤から何か起こりすぎてるぞ！

「ムー、どうしたの？」

「蜘蛛《くも》の巣、めっさ顔についたわ！」

「恐怖のジャンルが違う！」

たしかにムーは蜘蛛の巣にしっかり絡めとられていた。

「陛下、いい気味ですね。陛下、大丈夫でしょうか？」

「本音と建て前、両方言うなや！　建て前だけ言え！」

ナーナ・ナーナさんが無礼すぎるので、ムーが王であることを忘れそうになる。

「いやあ、肉体があると大変ですね。蜘蛛の巣ごときで苦しむとか。ほら、アズサさんが蜘蛛の巣にぶつからないようにどんどん進んであげてください」

「わかったわ！　わかったから、突っつくな！」

ムーは廃材を拾うと、それで蜘蛛の巣を払いながら前を歩いてくれた。多分、手で動かしてるというより、廃材を浮かせて、蜘蛛の巣にぶつけているのだろう。

私はロザリーと並んで後ろ側を歩く。

「なんか、いつのまにか怖さが薄れてきた……」

ありがとう、悪霊の王と大臣。

もっとも、悪霊たちが心霊スポットにやってきた時点で、何もかもおかしいんだけど、そこは考えないことにする。

「姐さん、怖さは薄れても、ここはタチの悪い奴らが集まってますよ。アタシにはわかります」

「そうか、心霊スポットとしてはガチな場所なのか……」

できれば、所有者の霊みたいに話せばわかってくれますように……。


一階は不気味ではあったが、私たちはどうにか奥の階段のところまでたどり着いた。

「どうも、上の階に集まってる気がするで。知らんけど」

そこで「知らんけど」をつけられると、信じていいのかわからなくなるのでやめてほしい。

「そういや、私もぞくぞくしてきたよ……」

階段を見上げると、わずかな月明かりが割れた窓から漏れているだけで、なんともおどろおどろしい。

こんなの、悪霊がいなくても怖いぞ。

「そうですね。悪霊とおぼしき連中が来るな、来るなって言っているようです」

「思ったより、人数が多いみたいだな。そんな大量にここで死ぬ事件があったのかよ」

ナーナ・ナーナさんとロザリーもこの先に悪霊がいることは把握しているようだ。

悪霊三人がこの先に何かいると言ってるんだったら、絶対に何かいるじゃん。

私は脚がふるえた。

「嫌だな……。行きたくないな……」

私もライカみたいに留まって、代わりにフラットルテでも派遣しておけばよかったかもしれない。

フラットルテならお化けみたいなのにも強いだろう。

あるいは後で文句を言われるだろうけど、ベルゼブブに攻略してもらうべきだった。ベルゼブブからすると、悪霊は死んだ人間でしかないんだよね。

「アズサ、自分、弱虫やな。そんな強いのに」

「しょうがないでしょ。強いかどうかと怖がりかどうかは別の問題なの」

森の中でイノシシが出ようとオオカミが出ようと危険はないが、悪霊は困る。

「よし、ここはうちに任せとき！　知らんけど」

「任せろと言ったからには『知らんけど』ってつけて責任放棄しないで！」

それでも、ムーはずんずんと上に進んでいった。

その時――割れた窓から突風が吹きつけてきた！

やはり、これ以上の侵入を拒む悪霊のはたらきなんじゃないだろうか。

しかも、それだけではなかった。

階段の踊り場まで来ていたムーの頭に、

――天井のシャンデリアが落ちてきた！

ガシャーンッ！

「うわーっ！　わーっ！」

私は目を覆った。

ムーがそんなことで死ぬわけない（むしろ、最初から死んでいる）ということはわかっていても、心理的には落ち着かない。

「姐さん、大事《だいじ》はないですぜ。悪霊が突風を出してきただけですから」

「それが怖いんだよ！　フォローになってないから！」

そこは何もないとか、自然現象だとか言ってほしい。

「それにしても、物理攻撃を仕掛けてくるのは感心しませんね。本当に危ない目に遭わすのは反則ですよ」

ナーナ・ナーナさんが妙なところに文句をつけていた。言いたいことはわからなくもない。

「まっ、物理攻撃で死ぬ人は誰もいないので無害なんですけどね。アズサさんも大丈夫でしょう？　その頭だってダイヤモンドより硬いでしょう？　石頭モンスターでしょう？」

「誰が石頭モンスターだ。それに無害でも、楽しくはないですよ……？　攻撃をされてるってことなわけだし」

メンバー編成が特殊なせいで、怖くもあるのだけど、一方でまぬけなところもある。あと、ナーナ・ナーナさんに好きなように言われていてムカつきもする。

「おーい、ムー、大丈夫か？　モロに直撃したみたいだけどよ」

ロザリーがムーに声をかけた。そういえば、踊り場で倒れているままだった。

「大丈夫ではあるけど、不意を突かれて、肉体にダメージが出たわ。ほんま、しょうもないことしてくるな。尻の穴に呪いぶち込んで、奥歯ガタガタ言わせたるぞ！」

ようやく、ムーが起き上がった。

しかし、起き上がったにしては、やけに背が低いように見えた。

何か、何かがおかしいぞ……。

「一度、階段下りて合流するわ」

そして、ムーがやってくる。

まるでブリッジをするように、顔をこっちに向けて、両手を床につけながら……。

その動きはさながら巨大な蜘蛛のよう……。

「きゃーっ！　怖い、怖い、怖い！　ちゃんと足で歩いてよっ！」

とんでもない悪夢みたいなのが来る！

「陛下、キモいです。すごくキモいです。体を元に戻してから来てください」

ナーナ・ナーナさんから見ても問題があるようなので、きっと論外なのだろう。

「えっ？　あっ、ほんまや。足で歩いてるつもりが、手で進むみたいになってるわ……。シャンデリア落ちた衝撃でバグったな」

そんな呑気《のんき》なことを言いながらムーはなおも下りてくる。

「ストップ！　そこにいて！　その場で復活してから来て！　見ただけで体がぞわぞわってするか

ら！」

「おい、アズサ、失礼やぞ！　町に出るから今日はまあまあ化粧もしてるんや！　普段よりかわいくなってるねん！」

「かわいさとか、そういう次元の問題じゃないから！　モンスターそのものだから！」

「なんやて！　ツッコミと悪口は違うで！　悪口はうちでも傷つくんやで！」

いや、こっちも心にダメージが来るぐらい、恐怖体験をしてるから！

「おい、ムー」

そこにロザリーが冷静な声で語りかけた。

「あっちの廊下に鏡があるから、見てみろよ」

「なんや、そんなおかしいんか？」

ムーとロザリーは一階廊下をちょっと戻っていった。

――数秒後。

「キモいわっ！」

という絶叫が聞こえてきた。

うん、やっぱり恐ろしいよね。不気味だったよね。

「ぐにゃぐにゃ曲がりすぎや！　タコかいな！」

関西弁のおかげで怖さが緩和されている。ありがとう、関西弁。

しばらくして、体の形を正常に戻したムーがやってきた。

「アズサ、悪かったわ。ほんまにキモかった。おぞましいにもほどがあったわ～」

「うん、理解を得られたようでよかったよ」

「以後、気をつけるわ。知らんけど」

「そこは知ってくれ」

今のところ、味方に一番驚かされている気がする。

◇

私たちはついに二階へと上がっていった。

シャンデリアを落とすみたいな物理攻撃を仕掛けられる危険もあるので、念のため壁や天井にも気をつけたけど、とくに何もなかった。

――だが、二階に上がると、さっき以上に嫌な感覚が起こった。

「悪い予感って言うのかな？　この先に行くと、よくないことがあるってわかるっていうか……」

「姐さんでもわかるんですね。相当強い怨念みたいなのを感じます。しかも、複数いますね」

心霊スポットって、普通のダンジョンよりずっと大変だな。

二階の廊下は一階よりずっと荒れていた。

やたらと穴が空いている。どうも、誰かが蹴って作った穴のように見える。

「野生動物やモンスターが棲み着いてできたものじゃないよね。人為的なものっぽいな……」

前を行くムーとナーナ・ナーナさんも足取りが慎重になってきたので、私もゆっくりになる。

ムーは部屋を一つずつ開けて、中を確認していた。

「ここの部屋も何もおらんな。ただ、汚れてるだけか」

私は自然とロザリーの後ろにひっつくように歩いていた。こんなところに好き好んで行く人の気が知れない。それだけで一生わかりあえそうにない。

私もそうっと部屋の中に視線をやる。うん、荒れ果ててるだけの部屋だ。血まみれの死体があったりはしない。そんなものがあったら、普通に事件だが。

「いえ、陛下、この部屋は何かいるようですよ」

ナーナ・ナーナさんが嫌なことを言った。

「あっ？　おらんやろ。悪霊が部屋の中まで入ってるのに、悪霊が隠れられるかい」

「いえ、霊的な存在とは違うものです。息づかいが聞こえてきます」

だとすると、モンスターだろうか。モンスターなら、この際、何でもいいや。

「そのベッドの下から聞こえてきます」

無茶苦茶タチの悪いところに何か潜んでる！

「えっ？　どうしよう……。斧《おの》を持った人間がいたりしたらどうしよう……」

私はロザリーにつかまろうとしたが、すり抜けてしまった。

抱きつけるのは前にいるムーだけなので、恐怖を紛らわすのが難しい。こんなことならクッションみたいなのをつかみながらやってくるべきだった……。

「斧を持った人間はこんなホコリっぽいところに隠れんやろ」

悪霊のほうがこのあたり、現実的である。

だけど、そしたら何がベッドの下に隠れているんだろう……？

次の瞬間、ベッドから何かが飛び出してきた！

小さいし、小型モンスターか？


「にゃ～、にゃ～」


これはヤマネコ⁉　種類はよくわからないけど、私がフラタ村で見るサイズよりは大きい気がする。

そのネコ科の動物はムーにすり寄っていた。

「おっ、なんや。かわいいやん。将来、立派なトラになるんやで」

ムーもそのネコ科動物をかわいがって、撫《な》でていた。

緊迫した空気が一気にゆるんだ。私もその動物を見て、顔が自然に笑っていた。動物の癒《い》やし効果は抜群だ。

「ところで、その子、トラなの？　毛並みからしてもトラではないと思うけど……」

「陛下はトラが大好きなんですよ」

やっぱり、関西人なのでは？

でも、私もそのネコ科動物を撫でました。

どうやら、このベッドの下がネコ科動物のハウスになっているらしい。おそらく、ベッドや椅子から調達したとおぼしき毛で作った毛布のようなものまであった。

雨風もしのげるし、外敵から身を守るには廃ホテルはなかなかよい環境なのかもしれない。エサを手に入れるにはホテルの外に出ることになるだろうからそこは大変だと思うけど。

「にゃ～」と鳴きながら、その子は膝の上に載ってくる。

「あ～、かわいい、かわいい♪　もう、このまま引き返して帰っちゃいたい♪」

「自分、どさくさに紛れて帰ろうとしてるやろ」

ムーにバレてしまった。

だって、何が悲しくて、ネコ科動物と別れて、心霊スポット巡りを続けないといけないんだ。

しかし、みんなは進むつもりらしいので、ついていくしかない。一人で残るほうが怖いのだ。ネコ科動物も連れていきたいが、さっきのシャンデリアみたいなことが起きるかもしれないので、置いていった。

「そう大きなホテルでもありませんから、そろそろ敵の本拠地に入れるんじゃないでしょうか」

「私としてはそんなところ、たどり着きたくないんだけどな……」

奥に進むにしたがって、これまで以上にぞくぞくとしてくる。

私は霊感が強いわけではないので、一般人ですらわかるほどにおぞましい空間に来ているということだ。

「あそこが一番濃い。なんかおるで」

「あ〜、ほんとだな。あそこで何人か死んでるな」

ロザリーもあっさり同意した。

ムーが部屋の一つを指差した。

「えっ？　そんなことまでわかるものなの？」

「姐さんはわからないんですか？　なにがしかの恨みを持って死んでると思います」

百パーセントいわくつきの場所じゃないか。

「あの、私はこの廊下で待っていようかなと思うんだけ――」

「じゃあ、開けるわ。失礼するわー。失礼するんやったら帰れー。じゃあ、失礼せんから入るわー」

私の言葉を無視して、ムーがドアを開けた。

ああ、もう！　ここまで来たら見ないわけにもいかないじゃないか！

私も廊下から部屋の中をのぞき込んだ。

そこはこれまでの部屋と違った。

とにかく、無数の言葉が壁にも床に書きまくってあるのだ。

ま、間違いない。こ、これは……。

黒騎士団
参上！
ボード部最凶の漢！
七代目総長
棍棒のサイゾン
特攻馬車・愚狼組合

「不良のたまり場だっ！」

もう確実に不良だ。日本の不良とは、多少価値観が違うかもしれないが、逆に言うと大半が一致している。不良的な存在はどこでも似たようなことをやるらしい。

でも、ここはただの不良のたまり場ではなかった。

私の視界に、何か黒い霧のようなものがいくつか入った。

夜の闇とは異質のものだ。

もしや、悪霊なのか？

「オマエタチ、カエレ……」


あっ、声が聞こえてくる。完全にクロだ。霊的なものがいる部屋だ。

この部屋から出よう！　怖い、怖い、怖い！

「おい、ふざけんじゃねえぞ！」

やけに大きな声を出してくる不良の悪霊もいるなと思ったら――

ロザリーが叫んでいた。

「誰のシマか知らねえけどよ！　ちょっとばかり派手にやりすぎだろうがよ！　だいたい、このホテルはお前らの持ち物でもねえだろ！　ここに残るのは勝手だけどよ、取り壊しぐらい納得しやがれ！　調子乗ってたら承知しねえぞ！」

ロザリーがわかりやすくケンカを売っていた。

一応、悪霊対悪霊の図式のはずなんだけど、なぜか不良対不良の戦いに見える。

「ああ、上等だ。じゃあ、表に出やがれ！　えっ？　この部屋から出ない？　ふざけてんのか！　出ろよ！　地縛霊だから出られない？　舐《な》めてんのか？」

「いや、多分、それは本当に出られないんだと思うよ！」

しかし、これは大変なことになった。

ロザリーと悪霊たちの対決（？）という様相を呈している。

悪霊が相手だからといって、危害を加えられることはないと思うけど、どういうことになるんだろう……？

「怖いですね。悪霊ではなくて、言葉が」

ナーナ・ナーナさんが感想を述べた。

「もう少し品のある言葉でやりあってほしいものです。『おぶっ飛ばしいたしますわよ』だとか」

「それは、おちょくっているようにしか聞こえない」

ぶっ飛ばすという言葉を丁寧に言う人なんて見たことないぞ。

「そうか？　酒飲んだ王族はこれぐらい、神聖王国語でやりおうてたで」

「陛下、だから王族は怖いと言われるんですよ」

「神聖王国語はコミュニケーションがしやすいからケンカの発生もすぐ起こるんや。『舐めとったらあかんぞ！』『やんのか、ワレ！』ですぐにケンカができる」

外的要因がなくても、古代文明、滅亡した気がする……。

「ねえ、ムー。ロザリーは大丈夫なのかな……？」

除霊に来ていた神官なんかと出くわしても困るし、私もやってはきたが、悪霊同士のやりとりだと状況がよくわからん。

ムーは手を私の前に出して押し留めるような姿勢をとった。

「たいしたことないわ。相手は普通の悪霊や。一般人を呪える程度やろ」

「無害みたいに言ってるけど、有害だろ、それ」

「うちゃアズサが危険にさらされることはない。あとは一般人を呪うなって言って聞かせたらええわ」

ムーの表情は多少王様らしく、度量の広い笑みになっていた。敵を前にしても、とくになんとも思ってない。

ていうか、よく考えたら、心霊スポットがどんなものか見に来ただけであって、ムーに利害関係はないのか……。

なお、ロザリーはずっと悪霊たちとおぼしきところをにらんでいた。

「やんのか？　てやんでー！　ふてえ野郎だ！　あたぼーよ！」

また江戸っぽくなってる！

しかし、標準語で「あなたとケンカをいたしたいです。どうぞ、よろしくお願いいたします」みたいな調子で言ってたら闘争心も枯れてしまう気がするし、心を盛り上げていく時の言葉としては、こういうものが有効なのだろう。

「オラオラオラオラ！　オラー、オラオラオラ！　オラオラオラオラオラ！」

ロザリーがオラオラオラを連発している。うん、こうやって相手に舐められないことが大事なのだろう。

私にはよく聞こえないが、相手の悪霊側も似たようなことを言っているに違いない。

「オラオラオラオラオラオラ！　オラオララ、ラオラオラオラオッ！」

「ロザリー、途中からラオになってるよ！」

どっちでも大差ないのかもしれないけど、どうも締まらん！

そこで、ロザリーが何かに気づいたのか、はっとして後ろを振り返った。

「ムー！　そっちに行ってる連中がいるぜ！」

なっ⁉

隙が多かったかもしれない。

この廃ホテル全体が悪霊のアジトであれば、背後から挟み撃ちにされることもある。

しかし、私が振り返った時には――

ナーナ・ナーナさんが右足で半透明な何者かを踏みつけていた。

「のそのそ締まらない攻撃ですね。もう一度生き返って死んでやり直してください」

ナーナ・ナーナさんがあきれた顔で何者かに罵声を浴びせている。

頭はモヒカンみたいだし不良らしいが、半透明だから悪霊なのか。

「ロザリー、心配すんな。この程度の連中、すぐにいてもうたるわ」

ムーの前にも半透明な男が一人、浮かび上がってきた。

どうも、攻撃を受けたことによって、少し姿が見えるようになっているようだ。

「かかってきたから、ちょっと魂を攻撃したったわ。そしたら、簡単に気絶しおった」

「その方も死んでいてよかったですね。陛下を害しようとしているわけだから、生きていたら死刑になってましたよ」

ナーナ・ナーナさんは腕組みしながら、ぐりぐりと悪霊の顔の部分を踏んづけていた。

この人、サディストっぽいと思っていたが、本当にそうだな……。

「ねえ、悪霊の中ではムーたちはすごく強いってことなのかな？」

悪霊同士の戦いなど見ることがないのでよくわからないが、格が違う気がする。

「悪霊やってる期間が長いからな。うちら、悪霊対策なら完璧やねん」

自信たっぷりにムーが言った。どんなところにもパワーバランスというものは存在するようだ。

「この時代の悪霊もたいしたことあらへんな。ロザリー、お前も力を見せたれ」

ムーはそう言うけど、ロザリーは一般人というか一般悪霊だから、相手の悪霊を打ちのめすようなことはできないはずだ。

実際、オラオラとかラオラオとか言ってるだけだし、決着しない気がする。

けど、戦いは唐突に終わりになった。


「にゃ～、にゃ～」


ネコ科動物の一匹が部屋に入ってきたのだ。

おいおい、動物に乗り移ったりしないでよと思ったけど、取り越し苦労だった。

むしろ、ぞわぞわした肌が粟立《あわだ》つような感覚が急激に薄まった。

「ああ、てめえらも動物はかわいいのかよ。あっ？　ああ、なるほどな、ああ、それはそうか。ああ、ああ」

ロザリーが何か把握したらしい。

意外な事実！

「姐さん、こいつら、この動物の棲処《すみか》を守るために悪霊として頑張ってたらしいです」

そのあともロザリーは話を聞いていたが、途端に泣き出した。

「そっか……。お前ら、雨にぬれてるこいつらのために、壊れた板やドアを浮かして、雨除《よ》けになるようにしてやってたんだな……」

捨て猫を保護する不良みたいなことしてる！

気づいたら、ムーまで目を赤くしていた。

ナーナ・ナーナさんも切なそうな顔をしている。

「ええ話やわ……。自分らと同じ、はぐれ者の動物を見て、放っておけんかったんか……」

「ただのゴロツキじゃなくて、優しさがあったんですね。死んでからでもそれに気づけてよかったじゃないですか。私でもほっこりしました」

「あの……生きている私だけ置いてけぼりみたいになってるから、誰か説明して」

悪霊の間だけで盛り上がってるぞ。

「姐さん、こいつらがせっかくだからヤマネコ部屋に移動しようって言ってます」

「ヤマネコ部屋?」

まだ調べていなかった部屋に入ると、うじゃうじゃネコ科動物（ヤマネコだろう）が集まっていた。

しかも、ほかの動物までいる。キツネやタヌキに近い動物まで混ざっていた。

「ここが野生動物の巣になっているわけか……」

子供のキツネが私のほうに寄ってきたので、抱きかかえた。

心霊スポットが一転して癒やしスポットに……。

「人に慣れてるな～。野生動物とは思えないや」

「姐さん、こいつら、ここの悪霊に保護されてるんで、警戒心がないみたいです」

「動物の中には悪霊がはっきり見えるようなんも珍しくないはずやしな。動物からしたら、悪霊もアズサも同じようなもんなんやろ」

悪霊と同じというのが多少ひっかかるが、逃げられてしまうよりはずっといいか。

「こんなことなら、ライカも来ればよかったのにな～。また、連れてきてあげようかな」

あえて心霊スポットに来たかいがありました。

――しかし、悪霊が動物を守ろうとしていたところはわかったけど、それ以前のところは不明のままだ。

動物を守るために、周囲の悪霊が集まってきたということはないはずだ。悪霊は一般的にいわくつきの場所から離れられない。悪霊たちはホテルになにかしら悔いか恨みかがあったのだと思う。

そもそも、どうして廃ホテルに悪霊が何人もいるということになったのか？

所有者の悪霊が言うには、心霊スポットになってから人が死ぬ事件があったという話だけど、死者の数がやけに多い……。

もっとも、悪霊がいるのだから、謎はすぐに全部解けた。推理する必要すらなかった。

ロザリーが通訳してくれたところによると――

「ほら、姐さん、不良って度胸試しで心霊スポットに行くものじゃないですか」

「いや、私は不良ではないから、不良の常識は知らないけど……」

まあ、そういうものなんだろう。そういえば、大昔にテレビで見た心霊スポットの番組も、やけに不良っぽい落書きがあった気がする。

「それで、この廃ホテルで不良グループが鉢合わせして、そのまま大きな抗争に発展したんです。そこで片方のグループが壊滅して、何人も死者が出たようですね」

「う～む……。悪霊がいる時点で恐ろしい事件があった予想はついていたけど、なかなか重いな」

「わかります、わかります。子供の頃って秘密基地を作ろうとしがちですよね」

「ナーナ・ナーナさん、そんな微笑ましいものじゃないです！」

死人が複数出ている修羅場だぞ。

「でも、秘密基地の縄張り争いみたいなものでしょう？　人間がやってる戦争だって、大半は縄張り争いじゃないですか。大差などありません」

「そう言われると返す言葉もない……」

そこから先は私たちの知っている話だ。

廃ホテルで死んだ不良たちは地縛霊として、そのまま残った。

ちなみに勝者になった不良グループたちも悪霊が何人もいたせいで、廃ホテルから早々と撤退することになったらしい。

で、廃ホテルは正真正銘の心霊スポットになったわけだが――

そこで悪霊たちは野生動物がここを巣にしていることに気づき、そのまま動物のかわいさに目覚めた。

悪霊たちは動物の住処を守るために侵入者が来るとおどかして追い出した。

――そして、今に至るというわけだ。


「は〜、しかし、困ったことになったな〜」

ムーは床に寝そべっていた。その上をアライグマらしき動物が通過していく。なんだかんだで満喫しているな。

「困ったって何が？　謎は全部わかったし、悪霊も動物想いでしょ。おどかしてきたのも、動物を守るためだったわけだし」

「動物の楽園になってるのはわかったけど、廃ホテルが危険なんも事実やろ。悪霊が侵入者に悪させんかったとしても、子供が遊び半分で来たらケガすることもあるし、今後、山賊みたいな連中が隠れ家にするってこともあるで」

「ほんとだ。悪用される問題はあるよね……」

廃墟に目をつける人間は世の中にはいる。だからこそ、冒険者ギルドにも取り壊しの依頼があったのだ。

「それに、所有者の霊がおったやろ。このホテルが建ってる限り、あいつがあそこに立ち続けることになるで」

「あの人はあの人で、負の遺産をずっと見せられて、『成仏』できないわけか……」

「やっぱり、いつの時代も人間も悪霊も問題を抱えてるもんやな。その点は心臓が動いてても止まってても何も変わらんわ」

ムーはさばさばした表情をしているが、それはいかにも取り繕っているという印象を受けた。

廃ホテルに来ようとしたのも、悪霊が苦しんでるんじゃないかと思ったせいかもしれない。

だって、未練があるからこそ悪霊になってるわけだしね。

ここからは生きている私の仕事だなと思った。

悪霊だけでは人間社会と交渉するのに限界がある。

「ねえ、ロザリー、ここの悪霊の代表者って誰かな？」

私はロザリーに尋ねた。

言葉が通じるなら、やりようはある。ステータス上、生きてる人間の中で最強だからといって、力でなんでも解決する必要なんてないのだ。

「姐さん、ちょっと待ってくださいね」

ロザリーは悪霊に何か話していたが、途中から困った顔になった。

「ヘッドを決めるって言って、悪霊同士でケンカしだしました！」

「血の気が多すぎる！」

そのあと、私はケンカで決まった悪霊の代表者に提案を伝えた。

「――というわけなんだけど、どう？」

悪霊サイドからは同意を引き出すことができた。

さて、夜が明けたら、もうひと働きだ。

◇

後日、その廃ホテルは無事に解体された。

悪霊が何もしないということを信用してもらうために、一流の冒険者であるシローナに来てもらった。

Sランク冒険者が大丈夫だと言えば、みんな安心してくれる。

もちろん、解体作業中にも何もトラブルは起きなかった。

ただし、廃ホテルがあったそばには、ちょっとした小屋が作られている。

小屋といっても天井が低くて、人間が入れるサイズじゃない。

そこは廃ホテルに暮らしていた動物たちの新居だ。


その小屋のところに私はロザリーとライカとともに訪れた。

「うわあ、かわいいですね！」

ライカはしゃがんで、大量に集まっている動物たちに目を輝かせていた。やはり、ライカはこういうの好きだったな。

動物のほうもライカのほうに積極的に近づいていく。キツネとアライグマとヤマネコがライカにひっついていた。なかなかのもふもふ具合だ。

ただ、異変があったと思ったのか、左腕を右手で押さえた。

「アズサ様、ここ、何かいませんか……？」

「うん、目に見えない管理人たちがいるんだ。小屋のセキュリティーも万全だから」

そう、廃ホテルにいた地縛霊にはこの地に残って、動物を守ってもらうことにした。

そこの同意を得られたので、廃ホテルの解体もできたわけだ。

動物が安心して暮らせる環境が維持できるなら、あのホテルにこだわる必要はなかったからね。

ホテルがなくなったことで、所有者の悪霊も消えていった――と思ったんだけど、不良の悪霊とともに動物の管理人をやっているらしい……。

永久に動物に関われるから、それなりに楽しいのだとか。そこは個人の自由だから、好きにしてもらえばいい。

「アズサ様、さすがです！　この難題を解決させたんですね！」

「いや〜、私は生きてる人間代表として動いただけで、ロザリーやムーの成果だよ」

ムーがこのギルドの依頼に興味を持たなければ、何もスタートしなかったのだ。私も少しは役に立てて悪い気もしなかったけど。

「アタシもいろんな悪霊がいることが知れてよかったです。他人事《ひとごと》じゃないですからね」

ロザリーが今、家族として高原の家に暮らしているのも、ちょっとした偶然と言えなくもないからね。

もしも、ロザリーが幸せな一生を送っていたら悪霊になっていなかった。そしたら、ハルカラが工場用に買おうとした物件にロザリーがいることも絶対になかった。

変な話だけど、ロザリーが不幸な死に方をしたおかげで、私たちはロザリーと出会ったのだ。

私が過労死したのがきっかけで、この世界で魔女をやるようになったみたいに……。

縁というのはなんとも難しいものだ。

私たちも一つの一つの縁を大切に生きていくようにしよう。

「不幸がいい出会いをくれることもあるんだよね。だからって不幸になろうとしてもしょうがないわけだけど」

「ええ。そこが生きることや死ぬことの面白さだなってアタシも思います！」

いやあ、人生、本当に何が作用するかわからないものだ。

「というわけで、またほかの心霊スポットにも行きたいと思うんですが、姐さん、ご一緒してもらえませんか？」

ロザリーが目を輝かせて言った。

「世界にはまだまだ心霊スポットがあるはずです！　どんどん巡っていきやしょう！」

私は苦笑いで答えた。

「怖いので……極力遠慮したいです」

別に今回の件で、心霊スポットに耐性ができたわけでも何でもないから！

CDみたいなものができた

She continued destroy slime for 300 years

洗濯物を干していると、遠くから何か大きなものが飛んできた。

「あれはワイヴァーンだな」

うちは魔族とのつながりが多いので、ワイヴァーンが来ることも多い。荷物や手紙を運んでくることもあれば、魔族が乗っていることもある。

地元の人はもう慣れたらしく、ワイヴァーンを見ても驚かなくなった。

ちょくちょくリヴァイアサンを見てるしね……。ドラゴンはほぼ毎日見てるしね……。今更、ワイヴァーンでは反応しないよね……。

さて、今回は何なのだろうか。

正解は客人だった。しかも二人いた。

それぞれ耳が特徴的なのですぐにわかる。

ウサ耳なのがククで、猫耳なのがポンデリだ。

「あなたたち二人が来るって珍しいね」

ワイヴァーンから降りてきた二人に声をかけた。二人ともけっこう荷物が多い。また、いろいろ持ってきたのだろうか。

「お久しぶりです、アズサさん。いや……そこまでお久しぶりじゃないかもしれませんね」

ククは宿駅伝の大会公式テーマソング「補欠の人生」を歌ってたからな。

「そういう意味ではポンデリは鑑定騎士団以来だから、もっと最近に会ってるね」

なんだかんだでヴァンゼルド城下町に住んでる面子《めんつ》とは会うことが多い。物理的な距離を勘違いしそうになるぐらい、魔族はしょっちゅうやってくる。

「ですね～。ボクもまた来ることになるとは思いませんでした。最近、あんまり引きこもれてないです」

「それは元引きこもりのジョークとしてとらえることにするよ」

ポンデリは長らく、だらだらとゲームをして暮らしていた。今では魔族用にゲームを作って生計を立てている。

「ちなみに今日のボクは付き添いみたいなものです。ククさんがぜひとも皆さんに聞いてほしいものがあるということで」

「新曲でも披露しに来てくれたの？　それだとうれしいけど、わざわざ申し訳ないな」

ただ、その場合、ポンデリが来た理由がいまいちわからない。

「さあ～？　答えは後のお楽しみということで～」

なんだ。また何か企《たくら》みでもあるのか？

「まあ、いいや。とにかく、中に入って」

私は洗濯物の最後の一枚を干して、二人をダイニングに案内した。

ちょうどダイニングにはフラットルテもいた。

音楽の話なら、フラットルテが一番詳しいのでタイミングもいい。

「おっ、ククじゃないか。最近もいい感じにやってるみたいだな」

「はい、フラットルテさん。おかげさまで生活はできています」

ククが丁寧に頭を下げる。フラットルテが恩師みたいな立場になるって、実はすごくレアなのでは。

そして、頭を戻したククの表情はやけに真面目《まじめ》なものになっていた。

「あの！　今日はフラットルテさんにお話を聞いていただきたくて、参りました！」

緊張して肩を吊《つ》り上げながらククが言った。

こりゃ、本当に師匠に質問に来た弟子って感じだ。

けど、今度はククは私のほうを向いた。

「アズサさんにもアドバイスをいただきたいです！」

「え、なぜ私⁉」

とくに音楽が詳しかったりしないぞ。かえって素人の意見が必要というケースもあるのかもしれないが、それならここまで来なくても魔族の土地でどうにかなると思う。

「ほらほら、アズサさんて、ボクがゲームセンターを作った時にも的確な意見をくれたじゃないですか。あんなのがほしいんですよ」

ポンデリがなんとも無責任なことを言った。まあ、信頼されていると受け取っておくか……。

「あれは私が参考になる記憶や経験を偶然持ってただけだよ」

前世の日本のゲームセンターに似ていたことはさほど話してない。話しても通じないだろうし。

「いえ、きっと今回も行けそうな気がするんです。アンデッドの勘です」

その勘は当てにしていいのか？

「なんか、よくわからないが、音楽のことならフラットルテ様が意見を言うぐらいならやってやるぞ」

こういう時、フラットルテは決してケチケチしない。姉貴分としてはいいキャラなのかも。

基本的にフラットルテに任せていればいいか。

「はい！　新曲を聴いてほしいんです」

「よし、なら、リュートを出すのだ」

「それが今回はリュートも必要ないんです」

そう、ククが言った。どういうこと？　アカペラ？　弾き語りをしなくてもリュート担当の奏者が別にいる曲だとか？

「今、用意をしますから、お待ちください」

ククは荷物の中から何やら取り出した。

薄いドーナツ型の護符みたいなものだ。

材質は布みたいではあるが、私は前世のとあるものを思い出した……。

「このアーティファクトの中に新曲の音が入っているんです！」

いかにも布で作ったCDという印象だったのだが、それで正解だった。

やっぱりCDのようなやつだ！

「ここからはボクがお話ししますね」

ポンデリが話を接《つ》いだ。

「とある筋からもらった魔法の新技術の中に、音や映像を保存できるものがあったんです」

ほぼ確実に、その「とある筋」は古代文明の死者の国だな……。

「それで音楽を保存しておけば、何度でも音楽を聴けるんじゃないかと思ったわけです！　すごい発明じゃないですか⁉」

「うん、それは否定しないよ……」

どっちかというと、すでに動画配信サービスみたいなものが行われているので、CDのほうがローテクな気もするが、ないものが作られたとしたら、新発明ではあるだろう。

「そして、これが保存している音を流すアーティファクトです！」

今度はポンデリのほうが四角い黒の箱を出した。

これはこれでゲーム機っぽいが……あまり細かい追及はやめておこう。

「この音を流すアーティファクトと、私の曲が入った円盤型アーティファクトを同時に発売する予定になっています」

「そうなんですよ。円盤型アーティファクトが存在しないと、ボクの音を流すアーティファクトも価値を持ちませんからね。そこでククさんと提携したわけです！」

「……うん。なかなか斬新な試みだと思うよ」

猛烈に既視感《きしかん》があるが、黙っておこう。

ついにこの世界にもＣＤが出回るのか。どっちみち、当面は魔族の中だけだろうけど。

「私の新曲のほうですが、こちらになります」

ククは円盤型アーティファクトを三つ出した。

それぞれ、「その一」「その二」「その三」と布の上に強引に書いてある。

やっと音楽の話になるからか、フラットルテはテーブルに身を乗り出した。

「ああ、最初に出す曲をどのバージョンにするのか、アタシの意見をほしいってことだな」

「なるほど。ここにあるのは全部サンプルってことか」

たしかに同じ曲だとしても、何テイクもあって不思議はない。プロなら、細かな違いにもこだわりを持つだろうし。

しかし、ククがちょっと気まずい顔をした。

あれ、フラットルテや私の思っているのとは違うのか？

「それは音を流すアーティファクト担当のボクが説明しますね～、ククさんの円盤はどれも十一曲入りなんですが、最後の一曲だけそれぞれ違う曲にしてるんですよ～」

「第一弾から商売があこぎ！」

私が大きな声でツッコミを入れた。

「それ、ファンの人は全曲聴きたいから全種類とも買うしかないって商法だよね？　利益は出るかもしれないけど、ククの印象が悪くなるからやめたほうがいいよ！」

どうも、この世界の住人は全体的に金儲《もう》けに対して容赦ないタイプが多い。

筆頭はブッスラーさんだけど、洞窟の魔女のエノなんかもがめついところがある。今回もそれに近い香りがする……。

ただ、ククもポンデリも興味深そうにうなずいていた。

「やはり、アズサさんのご意見は参考になりますね～。ファン心理までは考えていませんでした。じゃあ、この案はやめにしときます」

ポンデリはノートを取り出すと、「最後の一曲だけ変更はセコいのでダメ」とメモをとっていた。

あっさり受け入れられたのでよしとするか。

ククもその円盤型アーティファクトをまたカバンにしまった。

その代わり、また三種類の円盤型アーティファクトが出てきた。「通常」「限定1」「限定2」と今度は書いてある。

「ええと、この三種類は――」

「あっ、クク、だいたいわかったよ」

私が挙手してククの声をさえぎった。

「限定って書いてるほうはそれぞれ映像か何かを保存してて、通常のほうは映像はないけど一曲か二曲、限定より多く入ってたりしない？」

ククとポンデリが「おーっ！」と評価の声を上げた。

ポンデリに至っては拍手までしている。

「さすが、アズサさんです！　そこまでわかるだなんて！　ボク、本当にここに聞きに来てよかったです！　頼りになります！」

「いや……なんか、その……そういう勘が働いたんだよね……」

「この円盤型アーティファクトは音楽だけでなく、映像も記録しておくことができるんです！　本当に画期的ですよね！」

日本でもこういうＣＤの売り方をしていたからな。

とにかく、何パターンも同時に出したいんだな。もう、好きにやってくれたらいい。

ていうか、肝心の音楽がいまだに聞けていない。

フラットルテがつまらなさそうな顔をしているし。早く、音楽の話にいこう！

「じゃあ、そのＣＤ……じゃなかった。円盤型アーティファクトを再生……とは言わないか……起動してくれる？」

表現がちょっとずつ変わっているので、かえって混乱する。いっそ、CDって呼んでほしい。

「かしこまりました！　ここからはフラットルテさんのご意見をお聞きしたいです！」

ククが「通常」と書いてあるアーティファクトを起動用アーティファクトの箱に入れた。

さあ、ついにこの世界で初めてCD（のようなもの）を聴くことになるんだな。

それはそれで感動的な体験だと思う。

「どんな音なんだろ」

見た目はただの箱だし、スピーカーとしての質は謎だけど、そのあたりも興味がある。案外、すごく臨場感がある音がしたりして。

「ちょっとわくわくする」

前世で初めてCDを買った時のことを思い出しちゃった。子供のお小遣いで考えると、CDってけっこう高かったんだよな。

「…………」

はじまらない。

これは少し溜めておいて、一気に爆音が出るような仕様かな？

「…………。…………」

実は音量の調節のところが最低になってたり――はしないか。そんな要素なさそうだもんね。もう少しだけ、待つか。

「…………。…………」

「いつ、はじまるの、これ⁉」

私は大きな声でツッコミを入れた。何も開始されないぞ！

「おかしいですね。壊れているってことはないはずなんですが……」

ポンデリが不思議そうに箱から円盤型アーティファクトを取り出した。

「あっ！　わかりました！　前回に最後まで起動していたので、頭まで戻す必要がありますね！」

カセットテープかよ！　システムがＣＤより古いよ！

「頭まで戻す機能はここと ここを左手で押しながら、ここを右手で押すんですね」

まあまあ、操作がややこしい。なんか、パソコンを強制終了させる方法みたいだな。

きゅるきゅるきゅるきゅる、きゅるきゅる～。

「あっ、戻ってます。戻ってます。しばらく待ってくださいね～」

なんで、すでに動画配信らしきことはできているのに、今頃、カセットテープのようなものが誕生しているのだろう。

「ちっとも聴けないのだ。つまらないのだ」

フラットルテの目が据わってきていた。これはフラットルテじゃなくても、いつまで待たせるのかと思いそうだ。

やがて箱のアーティファクトから「がちゃっ」という音がした。

実家にあったカセットテープが聴ける古いコンポと同じような音だった。

「今度こそはじまりますよ。ククさんの一曲目です！」

本当に音楽が鳴り出した。ククのリュートらしき音がする。

「おお！　すごい機能なのだ！」

途端にフラットルテがはしゃいだ顔になる。もしかして、初めてＣＤやカセットを聴いた人もこんな気分になったのだろうか。

ただ……一曲目から暗かった。

1曲目　知らないうちに親に捨てられていた本

作詞・作曲　クク　4：35

アーティファクトの中からククの「みんな、私に無断で、私に無断で、私を否定していく気がします～♪」という悲痛な声が響く。

初のＣＤ（的なもの）体験としては、選曲が暗すぎる……。

しばらく物寂しい歌詞の曲がダイニングを包んだ。

それを黙って聴く四人。

なんか、嫌な空間だな……。

終わったと思ったところでポンデリが「一時停止にしますね」とどこかを押した。ぱっと見ではボタンがないので、どこを押すとどうなるかわかりづらい。

「あの、フラットルテさん、どうでしょうか……？」

ククが神妙な表情で尋ねる。

フラットルテはいつのまにか腕組みしていた。

「ちゃんとしてるのだ。よかった」

あれ？　やけにあっさりした感想だ。それでもククの表情がほっとしたものになったので、やっぱり二人は師弟関係なんだなと思った。

「じゃあ、次の曲を聴かせてくれ。ライブで曲の順番が大事なように、このアーティファクトに入ってる曲も順番次第で全然聴こえ方が変わってくるのだ」

「あ、はい！　お願いします！」

フラットルテが名プロデューサーみたいに見えてきた。

2曲目　補欠の人生　作詞・作曲　クク　4:05

宿駅伝の時に聴いたやつだ！　曲順からしてシングル曲みたいなところにある！
そのあとも、曲はどんどん再生されていった。

3曲目　忘れていただけなのにウソつきだと言われた　作詞・作曲　クク　4:27

4曲目　パンのカビ　作詞・作曲　クク　5:02

5曲目

小銭が出ずに戸惑っていたら後ろの人が舌打ちした

作詞・作曲　クク　3：43

6曲目

あの人が悪口言ってたよと教えてくる知り合い

作詞・作曲　クク　4：27

7曲目

人の笑い声が自分をバカにしてるものに聞こえる

作詞・作曲　クク　4：50

「曲名を見ただけで、全部暗いってわかる！」

何曲聴いても暗いので、だんだんきつくなってきた。

「初の試みなので、今の私ができる最高の音を保存することにしました。妥協はないです」

濁りのない目でククが言った。

その結果、ものすごく暗いアルバム（？）が爆誕しそうだ……。

なお、フラットルテはほとんど語らずに、ほぼ腕組みしていた。目を閉じていることも多いが、寝ているわけではないようだ。フラットルテが寝たら、もっとだらしない表情になる。

「あの、フラットルテさん、いかがでしょうか？」

けれど、あまりにも口数が少ないからククは少し不安になっているようだ。

「心配ないのだ。最後まで聴く」

「わかりました。『通常』の円盤は『限定』に入ってない二曲が入っていて、十三曲入りです」

まだ六曲も暗い曲が続くのか……。

しかし、円盤からの音楽はまた鳴らなくなった。

「あれ？　ラジカセ……じゃなくてアーティファクトが故障した？」

まだ半分ぐらい曲が残っているはずなので再生されないのはおかしい。

「出来の悪いアーティファクトなのだ」

フラットルテが目を開けて、ポンデリをにらんでいた。

真面目に聴こうとしている分、中断が多くて腹が立つのかもしれない。

「音楽というのは何度も途切れてはダメなものだぞ。それなら間違っても間違ったまま続けるほうがいいのだ。歌詞を間違えてもかっこいいライブはいくつもあるのだ」

「お気持ちはわかります！　ちょっと待ってくださいね！　問題を調べますからね！　そんなことはないはずなんですけどね～」

ポンデリが箱型アーティファクトを開封していじりだした。

「あなた、機械の扱いも得意なんだね」

引きこもっていた頃は、ボードゲームとカードゲームぐらいしかなかったので、その頃は機械らしい機械もなかったはずだけど。

「古代文明の影響を受けて、ゲームを考えていたらいつのまにか詳しくなったんですよ～」

そのうち、パソコンなんかも作っちゃいそうだな。

しかも、アンデッドはずっと生き続けるだろうから（生きてないとは思うが、死に続けるって表現もおかしいよね）、この調子ならポンデリがどんどん知識を蓄積させていくんじゃないか。

「アーティファクトに異常はないですね。むむむ～。円盤のほうに問題が？」

「ポンデリさん、それはないですよ。最後まで聴いたものしか持ってきてないです」

困った。機械のトラブルには私は何もできない。しかも、機械じゃなくて、特殊なアーティファクトだから余計に扱いがわからない。

「あっ、わかりました、わかりました♪」

いきなりククが明るい声を出した。故障の箇所がわかったか。

ククは円盤を取り出すと、それをひっくり返して、また挿入した。

「表面が終わったので、次は裏面にしないといけませんね」

またもカセットテープ的な仕様！

とにかく曲がはじまる。

8曲目

他人の批判はするが、自分のミスについては沈黙するのか

作詞・作曲　クク　5:28

今までで一番重いリュートの音が響いてきた。たまには息抜きみたいな曲入れたほうがいいんじゃないか……？

でも、音楽の素人の私が言うべきではないだろう。フラットルテに一任しよう。

そのフラットルテはひたすらリズムをとっているのか、首を小刻みに振っていた。

そこにサンドラが外から入ってきた。

「今日は虫が多いから虫除《よ》けの薬もらうわよ」

で、すたすたと床に置いてあった機械の横を通った。

その途端、機械から「ブイーーーーーーン！」と異常な音が！

「わっ！　何！　よくわからないけど耳障りな音！」

うん、なかなか不快な音だ。曲の再生も止まってしまった。

「あ〜あ、サンドラが壊しちゃったのだ」

フラットルテが白い目でサンドラを見た。

「人聞きが悪いわよ！　植物に横切られるだけでおかしくなるほうがおかしいのよ！　わんわんわん！」

久しぶりにサンドラ、動物みたいに吠《ほ》えた気がする。

「ところで、ポンデリ、今度はいったい何なの……？」

「待ってください。確認します！」

ポンデリはまた機械を調べだした。

「ああ、そういうことですね。アーティファクトが魔力を利用してる時に振動があると、止まってしまうんです」

「なかなかデリケートな機械だな……」

「使用中の振動に弱いので、ペットを飼っている家は気をつけたほうがいいですね。猫が触ったりすると、今みたいにストップしてしまいます」

そこは昔のゲーム機みたいだなと思ったが、絶対に誰もわからないので黙っておこう。

「はい、引き続き、起動っと」

ポンデリが箱を動かす箇所を押した。

…………だが、まだ何もはじまらない。

その時、フラットルテがいきなり立ち上がって――


壁にコールドブレスを吐いた！


壁がちょっと凍りついた。まあ、そのうち溶けるだろうけど、問題はそこじゃない。

「あああああっ！　うっとうしいのだ！　トラブルが多くてストレスがたまる！　むしゃくしゃするのだ！」

両手は自分の頭を抱えて、わしゃわしゃとかいている。

今までずっと我慢してたんだな！

「フラットルテ、気持ちはわかるけど、落ち着いて！　機械にはありがちなことだから！」

「こんなにイライラするなら、アタシはアーティファクトなんていらないのだ！　ククから直接曲を聴いたほうが早いのだ！　それにこんな箱で音楽を聴くのは味気ないのだ！　実際の演奏を耳で聴かなきゃいいとも思えないのだ！」

「それはそうかもしれないけど……ククがすぐ近くにいないことのほうが普通だから……。これがあると、世界のどこでもククの曲が聴けるようになるかもしれないから！」

ククもポンデリもどうしようという顔をしていた。

とくにククは「そうですよね……」と小声で言っていた。

アーティストであるククにとったらライブで聴いたほうがいいというフラットルテの言葉はかなりの説得力を持っているのだ。

「いえ……フラットルテさん、このアーティファクトがあれば、何度でも音楽を聴けるわけで……。それはすごいことなんで……」

「アンデッド、そうは言うけど、起動停止しているぞ」

「うぐ……。そうなんですよね……。なぜ、こんなに止まるんでしょう……」

なんか、機械が広まる前の試練みたいなものを見ている気がしてきた。

おそらく、この世界の道具や機械も、私の前世の複雑な機械も、「これがあれば便利になる！」と思った開発者と、「それって別にいらないんじゃない？」という声とのせめぎ合いがあって、便利さが勝って、広まっていったのだろう。

スマホが出ても執拗《しつよう》にガラケーにこだわる人っていたし、携帯電話が広まった時期は、携帯がなくても生活はできると言って持とうとしなかった人がいただろうし。

このラジカセ（もう、ラジカセと私の中では呼ぶ）もそんな試練を乗り越えた時に普及するんじゃないか。

よし、開発者のために一肌脱ごう。

私はフラットルテの肩に手を置いた。

「どうどう、どうどうどう」

「あ……ご主人様、もうちょっと待てっていうことですか？」

フラットルテは私に押さえられて、反応もクールダウンしたようだ。

「そうそう。何事も新しいものにはトラブルがつきものだから。フラットルテも試行錯誤でよくなっていたものってあるでしょ？」

「とくに思いつかないのだ」

そこは話を合わせてよ！

「ほら、このアーティファクトが発売されたら、ククの曲を知る人が増えるかもしれない。それはいいことでしょ？」

フラットルテが目をぱちぱちさせた。

それから、ちらっとククのほうに視線をやった。照れているような顔になった。

「それは、悪いことではない……気もしないでもないです……」

よし！　フラットルテもククを応援しているわけだからね。これで文句も出ないだろう。

その間にポンデリは円盤を箱から出していた。

「あ〜、接触不良を起こしてますね。ううむ、接触が上手《うま》くいかないです。こうなったら――」

何か対処策はあるらしい。

「ふーっ、ふーっ」

で、ポンデリは円盤に息を吹きかけた。

「それ、意味ある!?」

やっぱり昔のゲーム機みたいだぞ！　あと、それで起動するようになるっていうのは迷信のはずだぞ！　むしろ、唾が入ったりして壊れる危険があるぞ！

いや、これは電子機械ではないから、そこは問題ないのか……。この世界の文明はいろいろと極端だ。

「あっ、これじゃ無意味ですね」

ポンデリが息を吹きかけるのを中断した。やっぱりダメなんだな。

「ボク、死んでるから息が出ないんでした〜。ほかの人、やってください」

「そういう問題なのかっ！」

「呼吸してなくても、ついつい吹こうとしちゃうんですよね。いや〜、昔の習性って怖いものですね。諺《ことわざ》にも『三つ子の魂、永久不滅』って言いますしね」

諺の期間が長い。

しょうがないので、私が箱を吹いた。

「ふーっ、ふーっ！」

「アズサさん、どんどんやっちゃってください！　生命の息吹によって魔力回路が起動しやすくなるはずですから！」

そこだけ、魔法っぽい概念になるの、ややこしいな！


生命の息吹の効き目があったのか、アーティファクトはやっと動き出した。

「あっ、鳴りましたね。『他人の批判はするが、自分のミスについては沈黙するのか』の後半分です」

「ねえ、ククの実力は認めるけど、ここまで曲が暗くて人気って出るものなの……？」

「苦しみを代弁してくれてありがとうございましたというファンレターはけっこういただきますよ」

「……そうか、明るいだけの曲だと心に響かない人もいるのか」

魔族は全体的にいい感じにいいかげんに生きている印象があったが、きっとつらい毎日を送っている層もいるのだろう。

「次は九曲目の『家賃三か月滞納』ですね。私の中でもかなり自信がある曲です」

「アイドルが絶対に歌わなそうな曲名！」

ククが自信があるといっただけあって、その曲はなかなかかっこよかった。しかも、意外なことにちょっとだけ明るかった。

とくにサビの「この狭い部屋から逃げ出そう～♪　厳密には追い出されてるだけ～」と繰り返すところがいい。

「たしかにお前の曲の中では例外的に疾走感があるのだ。これは狭い家から出ていくことと、しがらみから抜け出すことをかけているのだな」

フラットルテもいい解釈をした。

「いえ、まったく売れなかったスキファノイア時代に家賃を滞納しまくっていた時のことを思い出して作った曲です」

いい解釈が作曲者によって台無しにされた。

いくつも問題はあったが、最後の曲までその円盤型アーティファクトは再生された。

「よかった、よかったよ～！」

私は拍手をして、ククを讃《たた》えた。

もっとも、ククの顔は全曲が終わってむしろ緊張していた。

その視線はフラットルテのほうを向いている。

ククにとったらフラットルテからどういう評価を得られるかが当然気になるわけだ。

おそらく期待と不安が半々といったところじゃないだろうか。

なお、フラットルテはやけに真面目な顔をしている。精神年齢が大幅に上昇した感じがある。

私とポンデリの視線もフラットルテのほうに注がれる。

さあ、どういう反応が出る？

「アタシは生で聴く演奏には勝てないとは思っているぞ」

真面目な顔でフラットルテは言う。

それは厳しいけれど、率直なフラットルテの言葉なんだろうな。

たしかにこの世界にはＣＤもカセットもなかった（むしろ、今、誕生しようとしている）。音楽と言えばライブで耳にすることのほうが一般的なのだ。

その臨場感や迫力に勝てるかというと、きっと難しいだろう。

ククもそれはわかっていたのか、少し寂しげな笑みを見せた。プロだからこそ、厳しい言葉も受け止められるのだろう。これはこれでいい師弟関係だと思う。

そこでフラットルテの口元がちょっとゆるんだ。

「でも、この円盤に入っていた一曲、一曲はいいものだった。曲の順番もよく考えられているんじゃないか」

「ありがとうございます！」

ククが頭を下げて、そのウサ耳が前に飛び出るように見えた。

「きっと円盤で聴くのは、ライブで聴くのとまた違ったものになるんだろう。円盤一枚で作品として完結したものにする必要があるんだろう。その点もお前が意識していたのは伝わってきたのだ」

「そこまで見抜いていてくれたんですね！」

ククが目を見張った。

「もし、ライブと同じようにする意識しか持っていなかったら、考え直せと思っていたのだ。それではライブの劣化版にしかならないからな。この円盤を売るなら、円盤ならではの意義が必要で、それが一つの作品としての意識だと思う」

フラットルテの偏差値が一気に急上昇したように感じた。

やはり、得意分野になると、人間って違って見えるんだな。

私は改めて拍手をした。

それにポンデリも加わってくれた。

実はフラットルテ、教育者に向いているのではないか。

数学だとか語学だとかは教えられないだろうけど、得意分野に関してはいい先生になれそうな気がする。少なくとも、生徒から信頼される先生にはなれると思う。

「クク、大事なのはむしろこの次だぞ。こうやって曲を円盤に入れて売り出したら、その次の円盤と前の円盤をみんな比べるようになるのだ。そこで『前のほうがよかった』と思われたらダメなのだ」

「ですよね。この円盤に負けない円盤を作りたいと思います！」

本当にフラットルテはいいことを言う。

さて、朝の一仕事が終わったな。

「今からお昼ご飯を作るけど、ククとポンデリも食べるでしょ？　あっ、ポンデリはアンデッドだからいらないのか……」

「お気になさらず～。娘さんが楽しめるゲームも持ってきましたから！」

おっ、それはファルファとシャルシャも喜んでくれるはずだ。


私はククが好きだという野菜多めのサラダを作った。

いつもより人数の多いにぎやかなランチになりました。

食後、話の流れでフラットルテにククのリュートを使って、何か歌ってもらうことになった。

ファルファがしきりに「フラットルテさん、歌って～」とねだったのだ。

「準備もしてないから間違うかもしれないぞ。簡単なのしかやらないぞ」

フラットルテはそう言っていたが、まんざらでもなさそうだった。別に演奏することが嫌いなわけではないはずだしな。

「フラットルテの演奏は我も評価します。生来のリズム感というものがあると思います」

「ライカの評価などいらないのだ。お前に褒められると変な感じがする」

ライカに対する言葉も、どことなくやわらかい。

はじまる前から娘たちも拍手をしているし、ロザリーやサンドラも興味津々という顔で演奏を待っている。

「じゃあ、やるのだ」

率直に言って、フラットルテの弾き語りはすごくハイレベルだった。

ククの歌とはそもそも曲調がまったく違う。フラットルテの曲は陽気で明るいのだ。いわゆる縦ノリというのになるんだろうか。だからといって、暴れるような曲というのでもない。子供が耳にしても元気になれる曲というか。

ダイニングが今日は即席のライブハウスになった。

とくにファルファは楽しそうにぴょんぴょんその場でジャンプしていた。

楽しいのはフラットルテだって同じなのだろう。尻尾がびたんびたん床を叩《たた》いている。あれでリズムをとっているのかもしれない。

音楽のある生活、悪くないな。

「マーガレット、マーガレット、マーガレット〜♪」 ――ほいっ。三曲歌ったので、これでおしまいなのだ！」

みんな、一斉に拍手した。

ククもとてもうれしそうに聴いていたのが印象的だった。自分とは違う音楽性でも、きっと参考になる部分があるのだろう。

「あっ！　ひらめきました、ひらめきました！」

ポンデリが自分の荷物のほうに駆けていって、ノートのようなものを取り出した。

急いで、メモらしきものを出して、しきりに何か書き留《とど》めている。

「何？　アーティファクトの改良案でもできた？」

「いえ、音楽を流すアーティファクトをゲームセンターに置いたら、新しいゲームができると思ったんです」

さらさらとアーティファクトとそれで遊んでいる人の絵をポンデリは描いていった。

よくわからないが、アーティファクトを叩いている人の絵らしい。

「流れる曲と同時に、表示窓の中に楽譜が現れてきます。それに合わせてアーティファクトを叩いてリズムを競うんです！　これはもし作れたらものすごく面白いものになりますよ！」

そういうゲーム、あった気がする！

「ほら、音楽ってリズムが必須じゃないですか。リズムってことはタイミングですよね。タイミングはゲームにも応用できます！　これは確実にヒットします！　それもちょっとしたヒットじゃなくて、大ヒットになります！」

ポンデリは前世でゲームセンターを知っていたのではないか。そんな気持ちが一段と深くなった……。

ククの音楽アーティファクト『人生は死んだふり』は、「通常」「限定1」「限定2」の三種類が同時発売されるらしい。

後日、見本と再生用のアーティファクトがワイヴァーンで届けられた。

映像も再生して見たいというほどの大ファンじゃない人は、「通常」だけ買えば曲数も一番多いのでいいと思う。

この世界でもＣＤ、いやカセットが普及していくのだろうか。

だが、ふっと嫌な予感がした。

ペコラもアイドルみたいなことをやっていたよな。握手券つきで、音楽アーティファクトを売り出すだなんてしないだろうな……。

不吉なことは考えずに、私は『人生は死んだふり』を再生してみた。

「……曲が不吉だから気分転換には向かないな」

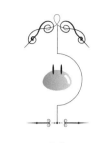

UFOっぽいものを見た

She continued destroy slime for 300 years

その日は朝から天気がよかったので、娘三人——ファルファとシャルシャ、サンドラとピクニックに行った。

といっても、家がすでにピクニックの目的地みたいな高原にあるので、ちょっと近くを歩くぐらいだけどね。

「ファルファ、いつもより空気がおいしい気がする～！」

ファルファは野原を元気に走り回っている。

その後ろを私たち三人が歩いている。ピクニックといっても、思いっきりはしゃぐのはファルファだけである。植物のサンドラは走ると無茶苦茶疲れるらしいので、そんなことはしない。

あと、シャルシャは本を読みながら歩いていた。

「シャルシャ、そういうことをすると危ないわよ」

サンドラからしても、それはおかしいだろうとわかるらしい。ピクニックですることではない。

「もし、ここが町の雑踏の中なら人にぶつかる危険もある。けど、ここにぶつかるような存在はいない。いるとしたら、せいぜいスライムぐらい。害はない」

「むむむ、アズサ、あんなことを言ってるけど母親としてどうなの？　ちゃんと教育しなさいよ」

母親の私のほうが責められた……。

「いや〜、あんまり推奨はできないんだけど、ぶつかるものなんてないと言われるとその通りだし……どうしたものかな……」

理屈でシャルシャに勝てる気がしない。とくに問題が生じないというのも事実だと思う。

「でも、あれってピクニックになるの？」

サンドラから鋭い指摘が来た。私も思っていたことだった。

「それは……その人がピクニックと思うのがピクニックということで……」

「心配はいらない。こうやって自然を感じながら本をめくるのも、それはまた趣がある。机にへばりつくだけが読書ではない。歩きながらなので心もいつもより爽快《そうかい》」

否定ばかりする母親もよくないと思うし、好きにやらせるか。

「ちなみに、シャルシャ、今はなんて本を読んでるのかな？」

「『死の影の下に』という本」

「絶対、爽快にならなそう！」

まあ、シャルシャの精神年齢を考えると『子犬のジョンのだいぼうけん』みたいなタイトルの本を読んでてもおかしいんだけど。あと、爽快な気持ちで読んでいいのか？

そんなやりとりをしていると、前を駆けていたファルファの足がぴたっと止まっていた。

「ねえねえ、ママ、あれって何かな？」

ファルファが空を指す。

何かが空中を真横に飛んでいる。

小さく見えるが、それは遠くにあるからだろうか。

「多分、鳥だと思うけど？　ドラゴンやワイヴァーンならもっと大きく見えるし」

「でも、ママ、鳥さんにしては動きが変だよ。あれ、真横につぅーつぅーって飛んでるよ」

ファルファの「つぅーつぅー」という擬音はわからなくもなかった。

飛んでるというより、浮かんでいるものが時たま移動したり、静止したりしているといった印象を受けるのだ。

たしかに鳥らしくない。

形もよく見ると、ゆがんだボールみたいに感じる。

いつのまにか、シャルシャも本を閉じて、じっと空を見上げていた。

「あっ！　こっちに近づいてきてる気がするわよ！」

サンドラが叫んだ。そういえば、さっきより大きく見えるような……。

「また離れていくよ！　あっち行っちゃうよ！」

ファルファの言ったように、その何かは奥の山の影に隠れて見えなくなっていった。

「何だったんだろ。三百年住んでるけど、あんな動物は記憶がないな」

ファルファもこっちに戻ってきた。

「珍しい種類の鳥さんなのかな？」

「そうかもね。今度、動物を研究してる人に聞いてみたりしよっか」

「姉さん、あれは鳥ではない。このあたりに生息するどんな鳥とも一致しない」

なぜかシャルシャが少し怒ったような顔をしていた。

いや、怒ってはいないな。どっちかというと、呆然《ぼうぜん》としているといった様子だ。体が少しふるえている。

そして、こう大きな声で宣言した。


「あれは……間違いなく、未確認飛行クリーチャー……通称ＵＦＣ！」


ＵＦＯみたいな概念！

「何、それ。聞いたこともないわ」

サンドラも知らないらしいし、まとめて解説をお願いしたい。

シャルシャがこくこくとうなずいた。

「未確認飛行クリーチャー……それは未確認の飛行しているクリーチャーのこと」

「そのまんますぎる！」

「古来、どんな生物の飛行の様子とも異なる、奇妙な動きをする存在が知られていた。それを今から五百年ほど前の鳥類学者の一人が未確認飛行クリーチャーと定義した。それ以降、言いやすいようにＵＦＣと呼ぶことが多い。我々がまったく知らない未知の生物かもと言われている。シャルシャは少なくともそう考えている」

こころなしか、シャルシャがいつもより早口だ。

ＵＦＣを発見して、興奮しているようだ。

「そっか、そんなのが見られてよかったね」

「母さん、よかったとか、よくなかったとかいう問題ではない！」

シャルシャに微妙に怒られた。

「中にはＵＦＣははるか彼方《かなた》の天体から来た知的生命体だと説明する研究者もいる。放ってはおけない！」

マジでＵＦＯと宇宙人の問題になってきた！

「ママ、気にしなくてもいいよ。シャルシャはＵＦＣが好きなだけだから」

ファルファはやれやれといった顔をしている。

「ママ、ほかの星から来た謎の知的生命体だなんていないよ。そんなの存在するわけないし、仮に存在したとしても、どうしてあんな奇妙な動きをした何かとそれが一致することになるかわからないよね」

おや、ファルファは完全に異星人否定派らしい。

姉妹でこんなに意見が合わないって案外珍しいかも。

「姉さん、それは暴論。わからないものをないものと扱っては何も発展しなくなる」

「シャルシャこそ、ＵＦＣと知的生命体を結び付けるのは論理が飛躍しすぎてるよ。科学的思考になってないよ」

二人が向かい合って、真っ向から対立していた。

ううむ。ケンカにまで発展するとよくないぞ。

私は間に割って入った。

「じゃあ、お互いにほかの人も納得ができる証拠を集めて、それでこの機会にＵＦＣについての考えを深めることにするというのはどう？」

二人とも研究者肌だし、勉強の方向性に持っていくことにした。

それなら勉強というものが間に入ってくれるので、ヒートアップも防げるだろう。

「わかった！　公開シンポジウムで勝負をつけたい！」

「ファルファは逃げないよ！　かかってきたらいいよ！」

「姉さん、シンポジウムは十日後ということでいい？」

「わかったよ。十日もあればしっかりデータも集められるからね！」

あんまり対立が緩和してない気がする……。

そういえば、これまでファルファは理系で、シャルシャは文系のほうを中心にやっていたから、直接学問上の対立が発生することってなかったんだな。

しかし、なぜかＵＦＣということになると、二人とも関心だけは持っていて、しかも意見が合わないからぶつかってしまうらしい。

「ねえ、アズサ、あの二人、どうするのよ」

部外者のサンドラはあきれていた。

「そうだね……。研究者がほかの研究者の説を批判したりするのは、ダメなことじゃないし、もうしばらく様子を見ようかな」

それに、たまにはファルファもシャルシャもお互いに研究者として向き合ってみてもいいかもしれない。ずっと理系と文系に分かれていて交わらないというのももったいない気がする。

母親としては、そういう結論になりました。

◇

それからファルファとシャルシャの二人は各地の図書館や研究者のところを飛び回っていた。

幸い、我が家にはドラゴンが二人いるので、移動や資料集めは公平にできたようだ。

あと、ベルゼブブに頼んで、魔族側が持ってる資料もいろいろ見たらしい。

今も食事中だというのに、本を読んでいる。

……いや、それは行儀が悪いな。

「二人とも、ごはんの時は本を読むのはダメ」

ファルファもシャルシャも、本を閉じた。

「わかったよ、ママ」「シャルシャもテーブルマナーは守りたい」

調べる時間が惜しいのか、やけに速くスプーンを動かしている。

「お師匠様、面白いことになりましたね。あっ、面白いっていうのは不謹慎《ふきんしん》かもしれませんけど」

直接関係がないハルカラは客観的な感想を言った。

「まあ、何事にも真剣になるのはいいことなんじゃないかな。いろいろと研究していれば、仮説の食い違いが起こることもあるよ」

どちらかというと、娘に付き合わされても嫌な顔一つしない家族にお礼を言わないと。

「ドラゴンの二人は大変だよね。昨日も全国各地を飛んでたでしょ」

「いいえ、勉学に集中して、打ち込むということは誰しもあることですから。我も協力ができて誇らしいです」

え？　勉学にそんなに打ち込んだことって私にあったっけ……？

「フラットルテも力比べに協力できるのは楽しいのだ！　血がたぎるのだ！」

バトルの一環という解釈なのか！

「ところでフラットルテは勉学に集中したことってあるの？」

「ないです」

ライカが「すみません、誰しもあるというのはおおげさな表現でした」と訂正した。まあ、世の中、ライカみたいに真面目《まじめ》な人ばかりではないということだ。

あと、もう一人、付き合わせてしまってる家族がいる。

「ロザリーも毎日長時間、観測をさせちゃって悪いね」

幽霊のロザリーは家の外に出て、何か不思議な動きをするものがないか、チェックする係だ。今は天井あたりを浮いている。

「いえ、そのへんを浮いてるのと何も違いはありませんから。幽霊でもたまには人の役に立ちたいですからね」

「ちなみに何か変なものは見えたりしたの？」

「ああ、一回だけ奇妙な動きをしてる何かは目にしましたね。正体はわからないです」

また出たということは、変わった動物でも住み着いたのか。

あるいは宇宙人的なものが何かを調べているのか。

「明日はもうシンポジウムの日だね。二人とも、ラストスパートだけど、ほどほどに。徹夜はダメだよ」

ファルファもシャルシャも同時にうなずいた。

そのあたりの息は合っている。

◇

そして、シンポジウム当日。

高原の家の前にはちょっとした仮設の会場が用意されていた。ステージがあり、その前には来場者用の椅子が並んでいる。こういう席はファートラがリヴァイアサン形態になって持ってきたらしい。

誰が用意したかというと、ベルゼブブがファルファとシャルシャの二人の依頼を受けて、持ってきたのだ。二人に言われて嫌というわけもなく、はりきったらしい。

ステージ上には登壇者の席があって、後ろにはこんな看板がついている。

公開シンポジウム

UFCとは何か？

徹底討論

協力　魔族農務省

農務省ということは魔族の税金が使われている気もするけど……まあ、ベルゼブブはわかっててやってるからいいんだろう。変なことに税金を使うなと言われたとしても、私は責任持てない……。

さすがに立ち見の人はいなかったが、どこから話を聞きつけたのか、けっこう席は埋まっていた。

ＵＦＣに興味がある人って多いんだな……。

時間になって、ヴァーニアが出てきた。

「本日はお集まりいただきましてありがとうございました。司会進行を担当するリヴァイアサンのヴァーニアです。簡単な解説もわたし、ヴァーニアが行います。——では、早速、登壇者の方どうぞ！」

いよいよ、シンポジウム開幕だ。

まず、ファルファが出てくる。

「最初は今回ＵＦＣの第一発見者となったファルファちゃんです。ＵＦＣはほかの天体からの知的生命体という説には否定の立場です」

ヴァーニアの説明に合わせて、ぺこりとファルファが一礼した。

「次に同じ時にその場にいたシャルシャちゃんです。『ＵＦＣイコール知的生命体』説をとっていらっしゃいます」

シャルシャはずんずん行進するようにステージを歩いていった。

これは気合いが入っているな。

そのあと、ベルゼブブがステージに上がった。農務省として何か言うことあるのかな、ミステリーサークルにでも詳しいのかなと思ってたら、腕に何かがいた。

スライムが腕に載っている。でも、やけに黒いな……。あんな黒いスライム、ほぼいないと思うけど……。

「その次。魔族のベルゼブブ農相——ではなく、農相に連れてこられた賢いスライムさんです」

あの黒いスライムはヴァンゼルド城の地下にいた賢《けん》スラだったのか！

過去にファルファが寝違えでスライムの姿になってしまって戻れなくなった時、賢スラに話を聞きに行ったことがある。魔法使いスライム（マースラ）、武道家スライムのブッスラーさんという順に話を聞きに行った。

まさかこんなところで再会するとは思っていなかった。縁って不思議なものだ。

「わらわは農相のベルゼブブじゃ。このスライムは様々な知見を持っておるので、連れてきたのじゃ。わらわはＵＦＣについてはあまり詳しくないが、娘たちの保護者みたいなものだと思うてくれ」

「保護者は私だ！」

ステージのベルゼブブに文句を言った。

「あっ、質疑応答の時以外はお静かにお願いします」

司会者のヴァーニアに止められた。

むむ～、事実無根なことなのに反論できない……。

「続いて、自称古代文明の王を名乗るムーム・ムームさんです」

ムーがステージに上がってきて、私はびっくりした。

あなたはあんまり目立ったらダメなんじゃないの⁉　まあ、誰も古代文明から来たなんて信じないのかもしれないけど……。

「古代文明の基準で言いたいこと言うわ。よろしゅう頼むわ」

本当に言いたいことを言いそうで、ちょっと怖い。

「次に自称月の精霊である占い師イヌニャンクさんです」

やたらと猫背になって脱力気味のイヌニャンクが上がってきた。

「あのさ、月の精霊だからって異星人のことなんて知らないわよ？　カテゴリーエラーよ？　何も専門的なこと言えないからね？　あとでがっかりするのはやめてね？」

イヌニャンク、迷惑そうだな……。

「最後に、自称神のメガーメガ神さんです」

そのアナウンスに私は椅子から転げ落ちそうになった。

神まで来るんかい！

相変わらずメガーメガ神様はゆるい。会場に手を振っていた。

「『徳スタンプカード』がほしい人は閉会後に来てくださいね〜」

普通の人間がまったくいないという点では、ある種、豪華な面子《めんつ》だと言えなくもない。そのすごさがわかる人は、聞きに来た人の中でいないだろうけど。

「あの、司会者として素朴な疑問なんですが、ほかの星に知的生命体はいるんでしょうか？　神としてどう思います？」

素朴な質問な気もするけど、質問の相手が神に対してだから、いきなり本質に迫りすぎている。

「さ〜？　どうなんでしょう？　ただ、この世界のほかにもいくつも世界というのはありますからね。月やどこかの星に何かいてもおかしくはないんじゃないですか〜？　私が作ったわけじゃない

こんなことをいうのは、この世界の生きとし生けるもの、すべての命を否定することに等しいかもしれないんでわからないですけど」

その発言、軽々しくやっていいのか⁉

「ということは、メガーメガ神様の教義においては、ほかの星にも何かいるということですね」

「あくまでも、いるかもしれないということですよ。それに、そんな存在がいるということと、ここにやってきてるかどうかということは、また別の問題ですし～」

それもそうだ。実際、イヌニャンクは星の外側にある月に行こうとしたが無理だった。星の外に行くのってとんでもなくハードルが高い。

ならば、宇宙からこの星に知的生命体が来ることもほぼありえないのか？

いや、それこそこのシンポジウムのテーマなのだ。しっかりと聞くことにしよう。

「それでは、最初はシャルシャちゃんの発表、『外部の星からの特別なメッセージ　～自分たちはどう答えるか～』です。発表の持ち時間は三十分です」

シャルシャがゆっくりと演壇に立つ。

すると、ステージの背後に静止画と文字が映った。

パワーポイントみたいなものができてる！

「ええと、司会者から補足です。この映像は最近、魔族の中で開発が進んでいる魔法を利用しています。大変便利ですね～」

想像以上にシンポジウムっぽくなってきた……。

「では、皆さん、お手持ちの資料をご覧いただきたい」

シャルシャがしゃべる。私たちの席にはすでに登壇者全員分の分厚い資料が置いてあった。これ、学生時代だったら、途中で寝そうだな……。

と思っていたら、フラットルテがすでに隣で寝ていた。

「くぅ……イノシシとシカとチョウが合体したのだ……。変な味の肉なのだ……」

外部の星からの特別なメッセージ
～自分たちはどう答えるか～

はじめに

1　今回のＵＦＣについての検討

2　過去のＵＦＣ目撃証言との共通点

3　過去の目撃証言との相違と今回の特殊性

4　まとめ

奇妙な夢を見ているらしい。まあ、フラットルテにはどうでもいいことなのだろう。

もし、友好的な異星人が来ても、フラットルテはいきなり力比べをやろうとして、そのまま星同士の争いに発展したりしそうだな……。

さて、シャルシャの説明を聞こう。

シャルシャは丁寧に話をしていく。几帳面《きちょうめん》なシャルシャの性格がよく出ている報告だと思った。

「――以上のように、今回、目撃したものの動きは鳥類でもドラゴンでも、その他、飛行能力を持っているいずれの動物とも一致しない。我々に知られている生物がとりうる動きと考えることすら難しい。かといって、このあたりにまったく新種の生物がいることも、まずありえない」

シャルシャはとにかく異星からの何者かであるということを主張していた。

ただ、前世で聞いたＵＦＯ議論と違うところは、これが未確認飛行「クリーチャー」であるということだ。異星「人」である必要はない。

シャルシャの後ろのパワーポイントみたいな画像が変化する。

「よって、このような異星の存在が想像される」

それは円盤状のいかにも宇宙人が乗ってそうなＵＦＯ――

――に顔が描いてあるものだった！

「こういうクリーチャーがやってきていると考えたい。生態は不明だが、我々とはまったく違う生活形態をしていると思われる」

ううむ……。たしかに高度な知性を持っているからといって人型とは限らないんだよな……。それは私たちの体を基準にして考える偏見のせいだろう。

でも、あんな変な形の生物に知性ってあるかな……。

「これで発表を終わる。ご清聴感謝する」

ぺこりとシャルシャが頭を下げて、戻っていった。


真実かどうかはわからないけど、なかなか面白い話だった。

そうだ。横にライカもいるし、ちょっと聞いてみよう。

「ねえ、こういう変な飛行物体に出合ったことって、ライカはあるの?」

ドラゴンは空を飛び回っているし、ＵＦＣを目撃することもありそうだ。

「いえ……。あんな奇怪な生物に出会ったことはないですよ……。一度でもあれば必ず記憶に残っているはずです……」

「じゃあ、ライカもないんだね」

その話を聞いて、やっぱり謎のクリーチャーはいないのではという気がしてきた。

でも、そのクリーチャーが姿を隠そうとしていれば見つかりづらいことはありうるのか。誰もドラゴンに意味もなく近づこうとしないだろう。

「はい。続いてファルファちゃんのお話です。質疑応答はそのあとにまとめて行いますね～。報告タイトルは『UFCの正体は大気中にできる特殊な雲』です」

会場の一部から「おおっ！」という声が上がった。

どうやら、「特殊な雲」説はインパクトがあったらしい。

ファルファが勝ち誇ったような顔で、演壇にやってきた。

「ファルファです！　今回、謎の飛行物体を見た時はファルファもびっくりしました。少なくとも、鳥の見間違いということでの説明は無理があると実感しました。ですが、それをすぐに異星のクリーチャーと断定するのも論理的ではありません。今回、様々な科学的データを集めて検証した結果、あれは雲だったという結論に達しました！」

自分の娘の晴れ姿――そう私は感じた。

ファルファもパワーポイントにいろんなデータを載せていく。

ただ、ファルファが理系だからか、シャルシャの時より数式みたいなものが多くて、私には難易度が高くて、あんまりわからない……。

フラットルテは爆睡して椅子から落ちていた。

さすがに発表者に失礼ではと思うけど、発表してるのも身内だからいっか……。

「これでファルファの説明を終わります！」

拍手が鳴り響く。もちろん私も拍手をしまくってる。

異星人支持派の人からも「悔しいけど、いい発表だった！」という声がしている。敵ながらあっぱれと思わせてしまうぐらいにいい発表だったのだ。

双子の娘に優劣をつけるべきじゃないけど、今回の発表対決に関しては、ファルファのほうが高評価だった——らしい（私にはよくわからん）。

「さて、これから質疑応答の時間に入ります。皆さん、何かあれば手を挙げて発表してくださ～い」

ヴァーニア、なぜか司会に慣れてるな。

その議論自体は相当、活発なものだったけど、専門的なのでくどいようだが、私はよくわからない。

わかるのは、どっちの陣営も自説を曲げる気はないということぐらいだ。

——こういった特殊な生体の生物が来ていることがはっきりした！

——いいや！　雲だったということが証明されたはずだ！

そんな応酬《おうしゅう》が続いている。

「アズサ様、どうも水掛け論が続きそうですね……。どっちも自分たちが絶対違うということはわかりようがないから退かないと思います」

中立派のライカが話しかけてきた。

「そうだね。どっちも研究してきてる人たちだから、そんなにあっさり敗北は認められないんだよ」

そこでヴァーニアが「はい、ここで休憩に入ります！　後半はほかのパネリストの方からのご意見をうかがいたいと思います」と締めた。

うん、あまりギスギスした空気になる前に止めてくれてよか――

「トイレはこのへんにないので、高原の家のものを借りてください」

「ちょっと、ヴァーニア！　そういうのは事前に了承を得てほしい！」

友達が数人来たってレベルじゃないんだぞ。

しかし、我が家の家族もなかなかちゃっかりしていた。

「『食べるUFC』、とってもおいしい『食べるUFC』、お土産にいかがですか？」

ハルカラがお菓子を売っていた！

首からトレーみたいなのを提げて、席の間を売り歩いている。

「本当に商売熱心だな！　けど、このイベントのためだけに新商品を作ったら赤字にならない？」

「新商品じゃないですよ。せいぜいパッケージをいじるぐらいでいいですから」

どういうことだと思って『食べるUFC』なるものを見てみた。

過去に私が作った『食べるスライム』にそっくりだった。

「これ、『食べるスライム』にスライムの顔がついてないだけじゃん！」

「あっ、お師匠様、そんなに大きな声を出さないでください！　ちょうど形状がUFCと言われてるものに近いと思ってやってみることにしたんです」

そんなのアリかと思ったが、お土産にちょうどいいのか、ネタグッズは財布の紐《ひも》もゆるむのか、なかなか売れていた。

　休憩時間が終わって、シンポジウムは後半戦になった。

「はい。後半は四人のパネリストの方の番です。まずは自称古代文明の王のムーム・ムームさん、よろしくお願いいたします」

「うん、サーサ・サーサ王国のムーム・ムームや。はるか古代のことやったら、ごっつい詳しいで。何でも質問してや」

　ここに来ている一般人の中で、サーサ・サーサ王国の王だと信じてる人はいないだろうけど、なかなかぶっ飛んだことをしてくるな……。

「え〜、司会者として皆さんが知りたいことをムーム・ムームさんに聞きますね。古代文明の時代に未確認飛行クリーチャーみたいなものはあったんですか?」

「なかったで。うちらはきっちり飛来物も調査してたしな。知らんけど」

「では、変わった動きをする雲ではないかという説に関してはどう思いますか?」

「直接、目撃したわけやないけど、その未確認飛行なんたらは平行移動してたんやろ。雲ってそんなまっすぐ横に移動するんか?　風の動きにも逆らってたみたいやし、ちょっと怪しいな〜。知らんけど」

　最後に「知らんけど」がつくので、全然信用できない。

「なるほど。じゃ、ムーム・ムームさん、これで説明は終わりでいいですか?」

「それでええよ。知らんけど」

そこははっきりと言えるだろ！

「次のパネリストは自称神様のメガーメガ神様です。神の視点としてＵＦＣをどう思いますか？」

「そうですね～、わからないところが残ってるほうが、人生も面白いです」

ふわっとした意見で誤魔化《ごまか》された気がする。

仮に異星人やＵＦＣについて真相を知ってたとしても、神の立場として軽々しくは公開できないんじゃなかろうか。

「ほかに何かありますか？」

「信じる者は救われます！」

メガーメガ神様はウィンクして、そんなことを言って、お茶を濁した。

「え～、二人連続であんまり使えない意見でした」

ヴァーニアも正直に言い過ぎだぞ。

「三人目は月の精霊だというイヌニャンクさんです。イヌニャンクさんはよく当たると評判の占いの店を経営していらっしゃいます。月の精霊から異星人についてのコメントをお願いします」

視線がイヌニャンクに集中する。

「……ち、違う星に行ける技術があったらほしいわよ！」

イヌニャンクがキレ気味に叫んだ。

「私も月の精霊だから月に行きたいのよ！　行けないのよ！　実行不可能なのよ！　もしほかの星から来てる奴《やつ》らがいたら、月に連れていってもらうわ！」

「つまり、異星人の存在を肯定するということですか？」

「いてほしい！　いや、別に異星人である必然性はないの。星と星の間を移動できる技術や方法を持ってる奴がいてくれればいいの！」

完全に個人の都合だ！

会場からも「パネリストはネタ枠ばっかりだな」「急遽《きゅうきょ》、決まったシンポジウムだから芸人で数を埋めてるんだろ」といった声が聞こえる。

すいません、芸人じゃなくて、本当の王と精霊と神なんです……。

人選ミスかもしれない。けど、例のＵＦＣ騒ぎから十日しか経ってないし、知り合いしか集められなかったのも無理はない。

「は～い、最後のパネリストは賢いスライム、通称賢スラさんです。どんなに賢いスライムでも異星人について知ってるとは思えないですけど、何かあります？」

ヴァーニアもじわじわ投げやりになってきている。

「農相のベルゼブブじゃ。賢スラがしゃべれないので適宜、代わりにしゃべるのじゃ。まずは、画面を賢スラ仕様にしてくれ」

すると、パワーポイントっぽい画面がキーボードみたいなものに変化した。

テーブルに載っていた賢スラは、そこからぴょんぴょん跳ねて、キーボードみたいなほうに移動していく。

そういや、以前もこれで言葉を作っていったんだった。

賢スラが文字にぶつかっていく。

単語をこうやって表現するのだ。賢スラはしゃべれないからね。

「通訳はわらわがするぞ。はじめまして・賢い・スライム・です・よい・発表・でした。パネリストはぐだぐだだったがの」

パネリストぐだぐだというのは、きっとベルゼブブの個人的な見解だ。

賢スラはどんどん画面が示している文字にぶつかっていく。

「異なる・星・人間・興味深い・です・しかし・私・ＵＦＣ・動き・から・何か・わかります。ほほう、賢スラは何か知っておるようじゃのう」

会場が一気にざわつく。

ついに正体がわかるのか？

シャルシャは固まったようになっていて、ファルファは口を両手で押さえていた。

なおも、賢スラは画面にぶつかって単語を作り続ける。

私もいつのまにか固唾《かたず》を飲んで、賢スラが作る単語を見つめていた。

会場全体が賢スラの一挙手一投足（スライムだから手や足がどこかわからないけど）に集中して

いる。

「推測すると・おそらく・正体」

さあ、その正体は何なんだ⁉

誰も私語をする人はいない。賢スラのぽよんぽよん跳ねる音がよく響く。

「飛ぶ・スライム・です。今回の謎の飛行物体は『飛ぶスライム』ということじゃ」

まさかのスライム⁉

「ベルゼブブさん、それはおかしい！　スライムが空を飛ぶなんて聞いたことがない！」

シャルシャが立ち上がって抗議した。

そう言いたい気持ちはわかる。私もスライムが空を飛んだのを見たことはない。スライムの移動方法はジャンプぐらいだろう。

会場からも「スライムは飛ばない！」といった声が出る。

しかし、そんな反応も気にせず、賢スラは画面に当たって、さらに単語を紡いでいく。この会場で最も冷静なのは賢スラだと思う。

「皆さん・納得・いかない・ですね・わかります・そこで・証拠・用意・しました。賢スラの話を受けて、今回、わらわはそのスライムを持ってきたのじゃ」

すると、ベルゼブブは袋の中から一匹のスライムを取り出した。

一見、何の変哲もないスライムのようだ。

賢スラのように見た目が黒光りしているなんてこともない。

「ほれ。好きなように動け」

ベルゼブブはそのスライムを思いっきり空に向けて放り投げた。

上級魔族の力だけあって、そのスライムは高原の家の屋根より高いところまで上がった。子供に高い高～いをしたら泣き出しそうな高度だ。

常識的に考えれば、重力の働きで落下してくるはずなんだけど――

そのスライムは空中に止まった！

「うああああっ！」「何が起きた！」「魔法か⁉」

会場が混乱している。見事に、空中にスライムが静止しているのだ。

しかも、そのスライムは――

つぅーつぅーという音とともに空中を真横に動きはじめた。

そこに見えない床でも存在しているというように！


「ファルファが見た時と同じだよ！　こんなふうに動いてた！」

ファルファが自分の席から立ち上がった。じっとしていられないというふうだった。

「まさしく……シャルシャが見たものとも同じ……」

シャルシャも青い顔をして、そのスライムの様子を見つめていた。

なお、その間も賢スラは画面にぶつかっている。これ、慣れても大変だろうな……。賢スラは表情にも出ないし、弱音も吐かないけど、すごく努力家だと思う。

「スライム・一部・稀《まれ》に・飛行・能力・獲得・一般に・認識・ない・だから・遠くの・見る・新種・生物。遠方の空を飛んでいるスライムを見ると、未確認飛行クリーチャーと思うてしまうわけじゃな。大量発生するわけでもないから、そいつを見つけるのも難しいしの」

ベルゼブブは自分の羽で空に飛んで、そのスライムをもう一度捕まえた。

「こやつは魔族の土地で発見したものじゃ。おそらく、同じような突然変異のスライムがこのあたりにも出てきたんじゃろ」

そういや、まさにＵＦＯですって形状の物体とスライムの形状って、比較的近いな。

遠目に飛行してるスライムを見たら、私もＵＦＯだと思いそうだ。まして、鳥類やドラゴンの形ともまったく違うし。

シャルシャが弱々しく手を挙げた。

「今回、目撃したＵＦＣに関しては空を飛ぶスライムだったと考えたい……。自分の説は撤回する」

今度はファルファも立ち上がった。

「ファルファの特殊な動きの雲だったという説も取り下げます……」

二人とも残念そうだったけれど、むしろ私は本当に偉いと思った。

「すごいよ、ファルファもシャルシャも！」

私は拍手で応じた。

もう、議論はほぼ終わってるから好きなようにしゃべらせてもらおう。

「自分の考えが違っていましたって認めるのはとても勇気がいるよ。自分の説を主張するより何倍も大変だよ。それを二人はやれてるんだ。本当に立派！」

ライカやハルカラもそのことはわかるのだろう。拍手をしてくれていた。

次第にその拍手は会場全体に広がっていった。

「それに、ＵＦＣに異星人が絡んでいる可能性も、ＵＦＣの一部が雲であるという可能性も残されておるしのう。あくまでも、今回は飛ぶスライムだったというだけの話じゃ。二人とも堂々としておればいいのじゃ。娘たちはよくやったのじゃ！」

「おい、ベルゼブブ、いいところをとるな！」

「こっちはパネリストなのじゃからいいじゃろうが！　言いたいことがあるなら挙手してからにせよ！」

くそ……。やっぱり登壇者という立場を利用して自分の娘であるように言ってきたな……。

こんな調子でＵＦＣシンポジウムは閉幕となった。

この日のためにわざわざ来てくれたＵＦＣに詳しい人たちは帰っていった。フラタ村の宿にもかなりの数の人が泊まるようなので、ちょっとした経済効果もありそうだ。

席やセットなどはリヴァイアサン形態になったヴァーニアの上に積まれて手際よく片付けられている。

◇

さて、私は母親として二人のほうを見ておかないとね。

もっとも、その必要はなかった。

ファルファとシャルシャが向かい合っていた。

「姉さん、十分な根拠がないままに異星人と言ったのはシャルシャの間違い。反省する……」

「ファルファのほうも、全然違っていたからおあいこだよ。科学は真実を見つけていくことだから勝ち負けはないのに、ファルファはシャルシャと競おうとしちゃってた」

二人はどちらからともなく手を出して、握手をしていた。

しっかり仲直りできたようで、よかった。

雨降って地固まるという。

ちょっとしたケンカがかえって愛情みたいなのを強くすることもあるんだ。

そこに楽しそうにハルカラがやってきた。

「お師匠様、お師匠様、わたしの発想、大正解だったんですね！」

「何？　大正解ってハルカラは何も説なんて出してな――――あっ」

ハルカラの持っているパッケージの包み紙を見て、気づいた。

そこにはこう書いてある。

『食べるＵＦＣ　異星クリーチャーを信じる人も、信じない人も、おいしく食べられます！』

「『食べるスライム』をパッケージだけ変えて『食べるＵＦＣ』として売り出したの、正しかったのか！」

こういうのってふざけて言い出したことが当たりだったりするんだよね。

もちろん、厳密な検証をやってなければ科学的には認められないのだけど、真実っていうのは案外思いつきみたいなことと一致するのだ。

「それにしても、飛ぶスライムなんているんですね～。スライムも奥が深いですよ」

ハルカラの言葉に、はっとした。

「もしかして、スライムってまだまだレアな特徴を持ったのがいるのかも……」

スライムはとにかく数が多いし、世界中に存在している。

数が多いということは、奇跡みたいな確率ですごい何かが生まれることもあるということだ。

「今度からスライムを倒す時、気をつけて観察してみようかな」

もしかしたら、とんでもなく貴重なスライムということがあるかもしれない。

と、そこにスライムがぴょんぴょん跳ねて、こっちにやってきた。

「さすがにこのタイミングだと倒しづらいな……。かといって、まったく倒しませんってわけにもいかないんだけど……」

すると、たたたたたっとファルファが走ってきた。

「悪いスライムだ！　やっつけちゃうぞ！」

ファルファがパンチをすると、そのスライムは魔法石になってしまった。

それから、不思議そうな顔で私の顔を見つめた。

「ママ、悪いスライムは倒したほうがいいんだよ？　放っておくといいスライムが困ることになるからね」

「その区別が私にはまだできないから！」

色の濃さが違うらしいけど、その区別が極めて難しい。

スライムの精霊のファルファすら、やっつけるぐらいだから、スライムは倒してもいいのだと解釈することにしよう……。

世界三大会うのが難しい賢者のところに向かうことにした

She continued destroy slime for 300 years

ＵＦＣシンポジウムが終わっても、ベルゼブブはそのまま高原の家に残って、夕食もとった。

なお、ムーはロザリーと一緒に別室でだべっている。メガーメガ神様は月の精霊イヌニャンクの愚痴をナスクーテの町のどこかのお店で聞いているらしい。

「やっぱり、ファルファもシャルシャも大学で学ぶべきじゃな。ヴァンゼルド大学を受験するとよいのじゃ」

「魔族の土地の大学に通わせて、自分の屋敷を下宿代わりにさせようとするな」

「むっ。アズサよ、そこまではまだ言っておらんじゃろうが。今から言うところじゃった」

結局、言うつもりだったんじゃん。

まあ、あれだけファルファとシャルシャが頑張ったのだから、褒めたくなるのはわかるし、それは許容するけど、魔族の土地に連れていくようなことは認めんぞ。

こんな、子供が育つのに適してるさわやかな環境から、ごみごみした都会に引っ越す必要などない。ていうか、前世の私も空気のきれいな高原で育ったりしたら、別の人生を歩んだのだろうか？

いや、考えても意味のないことだな……。

「みんな、ごはんは食べたかな。じゃあ、お菓子を持ってくるね」

私はゆっくりとダイニングを立った。

「どことなく、発言がわざとらしいのう」

ベルゼブブ、余計なこと言わなくていい。

私はファルファとシャルシャの前に、『食べるスライム』を置いた。

ただし、いつものより一回り大きなやつだ。

「うわあ！　こんなサイズのもあったんだね！」

「通常のものの四倍はありそう……。大食いの人でも大満足かと思う……」

二人が驚いている。サプライズ成功！

「ふっふっふ。ハルカラの『食べるＵＦＣ』を見て思いついたの。みんなの分もあるからね」

「アズサ様、厚かましいのですが……我は数に余裕があれば五ついただけませんか？」

「フラットルテも五つはほしいのだ」

大食いのドラゴンから見ると大満足にはならないサイズだったらしい……。

「追加でどうにかするから、ちょっと待って……。まずは一人一個ずつ出すから」

と、一瞬、黒焦げになった『食べるスライム』が視界に入った気がした。

それは賢《けん》スラだった。テーブルの隅に載っていた。

ああ、ベルゼブブが連れてきていたから、そのまま残っていたんだな。

「賢スラ……。スライムがいるところに『食べるスライム』を出しちゃったや。気を悪くしたらごめんね」

賢スラはゆっくりと体を左右に動かした。

おそらく、「いいえ」という意味だと思う。

「そうじゃった、そうじゃった。賢スラが何か伝えたいことがあるらしくてのう。ちょっと見てやってくれ」

ベルゼブブはそう言うと、文字が書いてある四角いマス目の並んだ布を壁に貼りつけた。賢スラ用の簡易キーボードか……。ノートパソコンみたいな発想だな……。

そこに賢スラはまたぶつかって単語を作っていく。

「わらわが説明するのじゃ。私・誘われた・世界・三・大・賢者・近づけず島・連れていって・ほしい……ふむふむ、ああ、あとで説明するからアズサは『食べるスライム』の用意をしておけばよいぞ」

ベルゼブブ、私への対応が雑じゃないかと思うが、お互い様な気もするので『食べるスライム』を持ってきた。

何度も壁に当たったせいか、賢スラはこころなしか疲労していた……。

シンポジウムに来た時より、ぐんにゃりしている気がする。

「ちょっと、大丈夫？　今、回復魔法をかけるからね」

すると、また賢スラが壁にぶつかっていった。

「お願いしますと文字を打とうとしておるようじゃの」

「回復させようとしてるのに、さらに疲れるな！」

私が回復魔法を唱《とな》えると、賢スラは少し元気になった。ひとまず安心だ。

「それで、ベルゼブブ、賢スラは何が言いたかったの？　だいたい単語でわかったけど。世界三大賢者とかいうのに誘われたから、その賢者のいる近づけず島というところまで連れていってほしいってことだよね」

「全部言われてしもうたわ。それで正解じゃ！」

賢スラがぴょんと跳ねて、ベルゼブブの腰の上に載った。ペットのように見える。

「もう少し細かいことを解説するぞ。賢スラから以前に聞いた話じゃと、世界三大賢者というのがいるらしいのじゃ。そのうちの一人が賢スラで、ほかの世界三大賢者から来ないかと誘われたということじゃな」

「この方、そんなに偉大な存在だったんですね……」

ライカも口に手を当てて驚きを表現していた。私もびっくりしていた。

「ねえ、シャルシャ、あなたは世界三大賢者って知ってる？」

こくりとシャルシャがうなずいた。

「シャルシャの知ってる世界三大賢者は、アンセル村のサナリー・ヒンス翁《おう》・大キンニンスの三人」

「ふうん、誰も知らないや。……いや、その中に賢スラが含まれてないし！」

今度はファルファが手を挙げた。

「ファルファが知ってる世界三大賢者は、速読のエイターン・熟読のコブーン・睡眠学習のトルトーンだよ」

「二つ名みたいなのがついてる人ばかりだね。そして、やっぱり賢スラが含まれてない！」

これはあれか？　三大○○っていうのはトップ3に入る自信がない人が言い出すみたいなやつか？

「ちなみに世界三大賢者はいろんな説があって、はっきりしてないよ。過去に世界三大賢者にエントリーされたことがある賢者の数をカウントした人がいたんだけど、三百人以上いたんだって」

「もはや、三大でもなんでもないな……」

世界一の賢者だと言うと、自分のほうが賢いと思ってる人がクレームを入れてくる危険があるが、世界三大賢者ぐらいのふわっとした範囲だとクレームも来づらいから言いやすいのかもしれない。

すると、また賢スラがキーボードみたいになった壁にぶつかっていった。

「なんじゃ、なんじゃ。補足・厳密には・世界・三・大・会うのが・難しい・賢者・です・自分も・会いづらいですから。そう言うておるの」

世界三大会うのが難しい賢者！

ものすごく狭いカテゴリーだな……。

「たしかに、賢スラさんに会うのも非常に難しいですからね。まず、魔族の城に行き、さらに地下の入り口を見つけないといけませんから……」

ライカが納得していた。賢スラも完全に隠しアイテムみたいなところにいたからな……。

「話を進めるのじゃ。近づけず島というのも、世界三大行くのが難しい島に入っている島の一つでな、潮の流れが極めて特殊で、船がちっとも近づけんのじゃ。そこに住んでおる賢者からの連絡なんじゃろう」

海流の関係でなかなか行きづらい島があるというのはわかる。

「フラットルテ様が空から行けばいいのだ！」

「島の周囲は結界が張ってあって、空からは入れんようになっておる。かつて海賊の小国家が砦《とりで》代わりにしておったのじゃ」

無茶苦茶うさんくさいなと思っていたが、聞いていると、案外筋が通っている気がしてきた。

海賊なら潮の流れにも詳しいいし、敵が攻めづらい場所を拠点にすることもあるか。

「じゃあ、その『世界三大会うのが難しい賢者』がいる近づけず島に、賢スラは連れていってほしいってこと？」

賢スラが「はい」を示すキーボードのところにぶつかった。できるだけ「はい」か「いいえ」で答えられる質問にしてあげよう……。ぶつかる回数が増えると申し訳ない。

「そういうことになるのう。ただ、さっきも説明したように、ドラゴンが空から向かうというようなことはできん。交通手段は船しかないのじゃ」

「船の旅か。そういや、私、船に乗ったことなかったな」

ナンテール州が海に面してないので当然と言えば当然だけど。海沿いの町に行ったことはあるが、それこそドラゴンに乗って旅をするのが基本になっていた。

「興味はあるし、賢スラにはお世話になったこともあるから手伝いたいんだけど……潮流が複雑ってことは最悪、難破したり沈没したりもする危ない場所だよね……。あんまり家族揃《そろ》って行くわけにはいかないな」

ファルファとシャルシャが残念そうな顔をしていたが、ただの観光クルーズとは意味が違うから、ここは自重してもらおう。

「わたしが乗ると絶対に沈没する気がするのでやめておきます！」

ハルカラが自己申告した。

「絶対ってことはないと思うけど、危険から距離を置く姿勢は評価する！」

たしかにハルカラが乗るのは怖い。

あと、沈没しなくても船酔いで吐きそう。船酔いしなくても勝手に飲みすぎて吐きそう。

「まあ、得体の知れない旅になりそうじゃしのう。あんまり大人数というわけにはいかん。賢スラの管理はわらわがするとして、あとはアズサが来てくれればどうにかなるじゃろ」

「いつのまにか、私は行くことに決められてる……」

どうも、賢スラがこちらを見ている気がした。

連れていってくださいと言われているような……。

「わかった、わかった！　私が行くのはわかった！　あとは海に詳しそうな面子《めんつ》を集めるね」

「うむ。そこはかまわんぞ。わらわは船のほうを用意するのじゃ。魔族もあまり船には詳しくないからのう。ちょっと調べんといかんわ」

私が船に乗って近づけず島に行くことは確定した。

しかし、ふっと疑問が頭に浮かんだ。

「ところで、どうやって、近づけず島の賢者から連絡が来たの？」

魔法を使ったやりとりでもあるんだろうか？

「こんな手紙が入ったビンがとある海岸に漂着したのじゃ」

賢いスライム様

ぁたしは世界三大会うのが
難しー賢者で
近づけず島に住んでいる者ダヨ～☆
もし会えたら会いたいです！
ぁたしの見た目は
25歳ぐらいかな～。(*''ω''*)
ウミネコからはヤバいぐらい
かわぃぃと言われる☆

じゃぁね

「全体的に頭悪そう！」


行きたさが四割減った。

「それと、裏の暦を見たら、十年以上前なんだけど……」

「うむ、巡り巡って、ついに賢スラのところまで来たわけじゃ。奇跡みたいなものじゃな」

「あのさ、実はイタズラだったってことはないよね……？」

真相を知ると賢スラが傷つくタイプのドッキリなのでは。

「しかしな、その手紙の紙は近づけず島がある地域の植物から作ったものなのじゃ。イタズラでそこまで面倒なことをする奴《やつ》はおらん。あと、イタズラならもっと賢者っぽい文面にするはずじゃ。こんな頭の悪そうな書き方をしているということは、かえって信憑性《しんぴょうせい》が高い」

「たしかに！」

この文面を素で書く奴に会いたいかというとそんなに会いたくもないけど、そこは賢スラが決めることだからいいか。

スライムを長年倒して生活してきたけど、スライムのために旅に出ることになりました。

◇

私はライカに乗って、ベルゼブブたちとの待ち合わせ場所である港町ヒラリナーに来た。

ちなみにライカは今回参加しない。

「南方の気候のいいところですね」

ライカはリゾート気分といった顔をしている。それぐらい暖かい。

「そうですね。こんな気分のいいところなら自殺者も少なそうですね！」

ロザリーがリゾート気分が壊れるようなことを言った。

「あっ、でも、あっちの通りに殺された悪霊がいますね。そっか、船乗りが色恋でもめたんですね。陽気だからついつい浮気もしちゃうわけか」

「ロザリー、その解説はあまりいらないから……」

今回ロザリーに来てもらったのは船旅の強い味方になってくれると思ったからだ。私以外で家族で唯一の参加者だ。ずばり、死の危険がない。

「任せてください、姐《ねえ》さん！　難破して死んだ悪霊を見つけたら、しっかり話を聞きますんで！」

そう、船乗りの霊も多いのではないかと思い、そのコンタクト役をロザリーにしてもらうことにしたのだ。

あと、近づけず島を根城にしていた海賊の霊でもいれば、行き方も教えてもらえるだろう。

「さてと、ほかの参加者はまだ来てないかな」

「あっ、アズサ様、あれはクラゲの精霊のキュアリーナさんじゃないですか？」

ライカが指差した方向には、波止場で仰向《あおむ》けに倒れているキュアリーナさんがいた。

彼女も今回の旅に参加してくれる。

「キュアリーナさん、何をやってるの？」

「芸術です。クラゲゲゲゲゲゲい術です」

それ、芸術家をバカにしてないか？

「こうやって、倒れていることで死をイメージして創作に活《い》かす。クラゲゲゲ……」

「わかりました。じゃあ、好きなだけやってください。でも、芸術のためにわざと船を沈没させるみたいなことはしないでね……」

キュアリーナさんを呼んだのは、この人が島暮らしであることと、海洋生物であるクラゲの精霊であるからだ。

それにとんでもなく長生きらしいので、近づけず島についても詳しい知識を持ってる可能性がある。なかったら、その時はその時。

キュアリーナさんと一緒にしばらくぼうっとしていたら、賢スラを持ったベルゼブブがぱたぱた空を飛びながらやってきた。

「もう集まっておるのう。船の準備もできておるのじゃ」

「いい船はあった？」

「完璧じゃ。今回の旅にうってつけのものをチャーターしたのじゃ！」

ベルゼブブがサムズアップしたので、それを信じることにしよう。

そして、船が停泊しているところに行くと――

周囲が黒い霧で覆われて、マストもちぎれて、穴が空きまくっている船があった……。

「幽霊船かよ！」

「姐さん、よくわかりましたね。まさしく、幽霊船ですよ。悪霊が何人か乗ってます！」

そんな情報は知りたくなかった!

「幽霊船なら座礁《ざしょう》程度で沈むこともないのじゃ。見事なアイディアじゃろ? ちなみに名前は第七スペクター号じゃ」

観光目的で家族を連れてこなくてよかった……。

「アズサ様、ロザリーさん、ご多幸をお祈りします……。我はこういう怖いのはダメなので、不参加でよかったです……」

青い顔でライカが笑っていた。たしかに人選としてはよかったのかな……。

「うん、可能ならお土産を買ってくるからね……」

私は大丈夫なのかなと思いながら、幽霊船に乗った。

船の中を働いてる船員が通っていったが――

「みんな、ガイコツの船員だ……」

スケルトンたちが制服を着て活動している。ガチの幽霊船らしい。

「へえ、姐さん、活気がありますね!」

「活気って言うのかな……。あっ、キュアリーナさんはどうですか? 率直な意見をお願いします……」

呼んでおいて幽霊船に乗せるって、かなりひどい対応なので不満があってもおかしくない。私なら怒る。スケルトンじゃなくても、幽霊船だからもれなくボロいし。

「すごく、いい……」

キュアリーナさんの表情がほころんだ。

ずっと真顔って印象だったので、かなり意外だった。

「負の情念のかたまりみたいな場所……。創作意欲が高まってヤバいぐらいです……。早速、描きたい……」

結果オーライだった！

もしや、私の人選、どストライクだったのでは？

「よし、せっかくじゃし、船長にあいさつをしておくかの」

私たちもベルゼブブについていく。魔族だからか、幽霊船に一切物怖《ものお》じしてないな。

「船長って、どうせスケルトンなんでしょ」

「いや、船長はスケルトンではない。スケルトンでは船舶の免許がとれんからのう」

「法律の問題か！」

「いや、大事じゃぞ。人間の土地ではスケルトンが船舶免許を取得することを認めておらん。なので、そこは絶対に別の奴が必要じゃ」

スケルトン差別なのかもしれないが、かといって一般の船で船長がスケルトンだったらあまり乗りたくはないしな……。

「ベルゼブブの姉貴、ってことは、この船、人間の国の許可は得てるってことですかい？」

今度はロザリーが質問した。

「当然じゃ。でないと、入港しとることも違法になってしまうじゃろが。そんなところで人間どもと波風立ててどうする？」

法律を守っている幽霊船って何なんだろう……。

交通ルールを完璧に守る暴走族みたいな矛盾を感じる。

そんなことを言っている間に船長室の前に来た。

ベルゼブブがノックする。

「船長よ、全員揃ったので、あいさつをしたいのじゃ」

「……はぁい、わかりましたぁ」

少し間延びした声が返ってきた。

部屋から出てきたのは、派手な髪色の人間の女性だったと思ったけど、すぐに違うとわかった。

足が魚のようになっているのだ。つまり、人魚だな。

「皆さぁん、わたしがぁ、船長のぉ、イムレミコでぇす。今年で四百二十三歳でぇす。安全運転でぇ、よろしくお願いしまぁす」

この世界の人魚も長生きなんだ。日本でも八百比丘尼《やおびくに》伝説なんてあったし。いや、あれは人魚の肉を食べた人が八百年生きた話であって、人魚が長生きという話ではないか……。まあ、肉にそんな力があるなら人魚本体も長生きなんだろうな。

私たちも自己紹介を行った。冷静に考えたら、悪霊だとか精霊だとか、果ては賢いスライムだとか、こっちのメンバーも特殊なので、船長も人魚でちょうどよかったかもしれない。

「イムレミコ船長はこの第七スペクター号を長年受け持っておられるのじゃ」

「あっ、名前ですけどぉ、縁起が悪いというので天国旅行号に変更しましたぁ」

それはそれで沈没して死にそうなので縁起が悪い。

「それにしても、なんで幽霊船の船長なんてやろうと思ったんですか？」

せっかくなので船長に質問してみよう。

少し、間が空いた。

船長はおっとりしているので、しゃべりだすのにタイムラグが発生する。

「わたし、人魚ですからぁ、沈没してもぉ自分は死なないから安全じゃないですかぁ」

「それ、乗客は死ぬ危険があるわけなんで、あまり聞きたくなかったですが……」

この船で大丈夫だったのか？　幽霊船だから沈まないってベルゼブブは言ってたけど、信じていいのか？

「それとぉ、わたし、のったりしてますからぁ、普通の海で生きる人たちのぉ、ちゃきちゃき気が短い空気感にぃ、あわないんでぇ、スケルトンのぉ船員だとぉちょうどいいんですよぉ」

「あっ、それはすごくよくわかります」

海で働く人はこのマイペースな人を嫌がりそうではある。そこは個々人の感性の問題かもしれないけど、向いてる気はあまりしない。

「さぁて、ちょうど皆さん揃ってますしぃ、ここで、とっても大切なお話がぁ、ありまぁすのでぇ、聞いてくださぁい」

なんだ？　やっぱり幽霊船ならではの問題でもあるんだろうか……。

すると、イムレミコ船長が何か冊子を配り出した。

もしや、命の保証はされなくてもかまわないという誓約書？

安全にご乗船いただくためのしおり
必ずお読みください！

もくじ
2ページ　沈没時の救命ボートの場所と使用法
4ページ　浸水時の非常口の経路
6ページ　デッキから海に身を乗り出さない
7ページ　スケルトンの骨を折らない
8ページ　火気使用厳禁
9ページ　その他の禁止事項

けっこう、ちゃんとしてる！

「アタシは幽霊なんで読まなくてもいいですか？」とロザリーが質問した。

「あ～、乗船する人に説明するのは義務なんでぇ、一応聞いてもらえると助かりますぅ」

そのあと、席に座ってのイムレミコ船長ののんびりしたトークでの講習が行われ、キュアリーナさんとベルゼブブは寝ていた。

ちゃんと聞かないといけないとは思うが、眠くなるのもわかる。

「以上でぇ、説明はおしまいですぅ」

やっと終わった……。

「続いて、売店の説明をしまぁす」

「この幽霊船、売店あるんだ！」

「長旅ですからぁ、飲料水、お菓子、カニなどをここの後ろで売ってますぅ。ただし、船内価格なので、町で買うよりはぁ高いですけどぉ」

もはや、危険を覚悟のうえの船旅って印象はまったくなくなった。

しかし、最初の船旅にしてはとんでもなく変化球のものになりそうだ……。

幽霊船に乗った

She continued destroy slime for 300 years

ついに幽霊船は動き出した。少しずつ船が岸壁から離れていく。

「ねえ、ベルゼブブ、この幽霊船ってどういう動力で動いてるの？」

帆の部分は穴が空いているし、ろくに風を受けられない気がする。

「わらわも詳しいことは知らんのじゃが、なんでも、悪霊の情念みたいなものが船を動かしておるらしい。それを船長は操るそうじゃ」

「さらっと言ったけど、とんでもないことやってるな！」

「あとはスケルトンの一部がオールみたいなものを動かしたりもしておるそうじゃ。少し辛気臭いが、近づけず島に行くにはこいつが一番じゃ。長旅になるしのう」

「あっ、そういや期間を聞いてなかった。何日かかるの？」

定期航路なんてものはないので、情報としても入ってきてなかったのだ。

「片道、この船で二泊することになる予定じゃ」

「長いっ！　泊まりがけか！」

「大丈夫じゃ。個室もあるし、シャワー室もある。暇なら寝ておけ。食事の時間には起こしてやるのじゃ」

乗ってしまったものはしょうがないし、せっかくだしクルージングを楽しむとするか。

「デッキに出て景色でも眺めよう」

私は階段を上がってデッキに出た。


船のどっちの方向もやけに曇っていて、視界が非常に悪かった。


「そういや、この船の周囲だけ暗かったな！」

これが幽霊船効果か。じゃあ、風景を楽しむのも難しいじゃん……。

そこに人の気配を感じた。

スケルトンに運ばれて、賢スラがやってきていた。

ほかのスケルトンがデッキにキーボードみたいな紙を敷いた。私にわかるようにするためか、人間の国の言葉に対応するものらしい。

その上を賢スラがぴょんぴょん動いていく。

「何々？　人生は・舵《かじ》も・オールも・ない・船旅に・似ている・自分たちは・どこに・行くのか・大半・わかってない」

さすが世界三大会うのが難しい賢者だ。クサいことを言う。

「言いたいことはわかるよ。将来設計をしっかりしてる人って一部だと思うし、でも、いいかげんでもだいたい沈没せずに浮いてはいられるあたりも、人生って船に似てるかな」

また賢スラはキーボードの紙の上を動いていく。

ざっと要約すると――長らく地下にいたが、外の世界に出て、その情報量に驚いている、様々な発見がある、といったことを賢スラは言いたいらしい。

「だよね。私も賢スラよりはいろんなところに行きはしてるけど、知ってることっていえば世界のごく一部だもん。世界って遊び尽くせないほど広いんだろうね」

いつしか私はデッキに腰を下ろして、賢スラとコミュニケーションをとっていた。

景色は相変わらず悪いままなのだが、こういうのもいいんじゃないだろうか。常に快晴なだけの天気しかないのもつまらない。

賢スラが地理を私に教えてくれる。

「へえ、こっちの海は荒れることで有名なんだね。幽霊船だとちょうどよかったのかな」

「そうですよぉ。風に頼る帆船だとぉ、危ないですねぇ」

「うんうん、そのあたり計画的にやられてるんだな――って、船長が出てきていいんですか?」

気づいたら、思いっきり隣にイムレミコ船長が立っていた。

人魚でも魚のヒレの部分で立ったり、進んだりできるらしい。

「スケルトンの船員が確認してますしぃ、この船、基本はぁ自動運航なんでぇ」

幽霊船って実はハイテクなのかもしれない。

「近づけず島の付近までいくとぉ、船長としてぇ頑張りますけどぉ、それまではぁ、暇ですよぉ。あっ、カニのパンいりますぅ?」

船長はカニの形をしたパンをこっちに見せてきた。

「じゃあ……もらいます」

パンもカニの形をしているけど、味は普通のパンだった。

「のんびりしてるでしょぉ？」

船長本人も自覚あるのかもしれないが、「はい、そうですね」と答えていいのか難しいな。私ってバカでしょって言ってる人に「バカですよね」って言ったら怒るもんな……。

「船の上はぁ、のんびりできるんですよぉ」

あっ、船長の性格じゃなくて、船のことか……。

「船の時間ってぇ変わってるんですよぉ。陸の上ともぉ、人魚の住んでるところともぉ、時間の進み方が違って、のんびりなんですよぉ。それがぁ好きなんですよぉ」

私はこくこくうなずいていた。

本当に、ここまでのんびりとぽけえっとしている時間はなかなかなかったかも。

「何も考えずにぃ、いるのってぇ、大事ですよねぇ」

「ですね。勉強するにしても、ぼうっとしてる時間を間にはさまないと知識として定着しないって言いますし。そういう時間って大切なんだと思います」

こういう、洋上でのんびりする体験もたまにはいいものだ。

そして、のんびりしていたら――

船長が寝ていた……。

「船長！　さすがに眠るのはまずくないですか？　寝ていていいんですか？」

怖いので念のため起こした。

「あっ、寝てましたかぁ……。ごめんなさいねぇ」

やはり寝てはいけない時間に寝ていたらしい。そこは責任を持ってやってほしい。


そのあと、私は船を探検することにした。

ロザリーはスケルトンたちとずっとしゃべっていた。

かなり楽しそうなので、ロザリーを連れてきたのは正解だった。

キュアリーナさんはデッキの反対側で黙々と絵を描いていた。

クラゲの精霊という要素は今回、あまりいらなそうだけど、この人も連れてきて正解だったようだ。

ベルゼブブは椅子のある席で、ずっと書類のチェックをしていた……。

「ベルゼブブ、やってることが地味……。役人って感じ……」

「うるさいわ！　仕事しておるのになんでそんなこと言われんといかんのじゃ！　それにまさしく役人じゃ！」

みんな、船上の時間を有効活用しているようなので、いいことだと考えよう。

もっとも、有効活用なんて考えずに、ぼうっとしてるのも、とってもいい時間の使い方だと思うけどね。

初日のお昼の時間はそうして過ぎていった。

このあとは夕飯の時間だな。

あっ、ちょっと気がかりだ。

幽霊船の食事っていったい何なんだろう……？　スケルトン以外も乗ってるから用意はされてるんだろうけど。

夕食の時間になったので、食堂に行った。

料理はスケルトンの船員が運んでくる。テーブルには船長もいた。運転が気になるけど、おそらく大丈夫なのだろう。

「本日の料理ですがぁ、カニのフルコースですぅ」

まず、ゆでたカニがどーんと出てきた！

ほかにもカニと卵のカニ玉、カニのスープ、もろもろどれにもカニが入っている。

「おお、幽霊船なのに豪華だね！」

「ほほう。魔族の土地では食べることもないものじゃから珍しいわい」

ベルゼブブも、これにはテンションを上げていた。

ただ、自分で味わいようがないスケルトンが調理しているとなると、味が少し不安なんだけど……。

「あっ、問題なくおいしい。ていうか、素材の味の時点で勝ってるわ」

ベルゼブブも「美味じゃのう」と言いつつ、ワインも飲んでいた。なかなかの待遇だ。

クラゲの精霊のキュアリーナさんは「虚飾の饗宴《きょうえん》……」と不吉なことを言って、何かスケッチをしていたけど、テーブルマナーを守らないといけない場でもないし、いいだろう。

「この船はぁ、カニも獲《と》ってるんですよぉ。それを加工して売ったりしてますぅ。なにせ、元はカニ用の漁船だったらしいんですよねぇ」

「漁船って、こんな食堂がついてたりするんですか？　まあ、船の改造ぐらいしてるか」

そこにロザリーがスケルトンと一緒にやってきた。

「姐《ねえ》さん、この船は大昔はカニ漁専門のガレー船だったそうです」


カニガレー船！

響きからして、とてつもなく重労働な環境だった気がする……。

「それはそれは大変で、船内で死ぬ人間が少なくなかったそうです。今、ここで働いてるスケルトンもそういう連中なんです」

「へ、へぇ……」

できれば食後に聞きたかった。

「それで、船の中で船員の反乱が起こって、そのせいで穴が空いてしまい沈没。以後、海をさまよう幽霊船になり、人魚のここの船長が購入して今に至る――ということだそうですね」

スケルトンがうなずいているので、事実のようなんだけど。

「待って。幽霊船になって以降に何があったのかも知りたい。明らかにまだドラマが待ってるでしょ……。だって、この船、普通の幽霊船じゃないし」

何がどうなったら、人魚に購入されるのか。

ロザリーがまたスケルトンから聞いていた。スケルトンは声を発しないので幽霊のロザリーに通訳してもらう必要がある。

「幽霊船だといろんな船に攻撃されたりして危ないので、ちゃんと届出をした正規の船ということにすることにしたそうです。冒険者ギルドで討伐対象になったり、海の男が肝試し感覚で幽霊船に入ってくることも多かったらしいんですよね」

「海の心霊スポット！」

幽霊船、あまり恐れられてなかったんだ……。

「それと、怨念みたいなもので船を動かすにしても、沈みかけのボロ船を動かすのはスケルトンたちも大変なので、修理はしたかったそうなんです。そしたら、やっぱりお金もいるので、正規の船にならないと、いろいろ不都合だとか。ヤミ船ドックでの修理は高いそうですし」

「私の知らない概念がどんどん出てきてる！」

「ううむ……。わらわも海の事情はあまり知らなんだが……こういうことになっておったのか……」

魔族の大臣も驚いている。この世界、未知のことがまだまだ多すぎる。

「いやぁ、この船も歴史がありますからねぇ。よかったらぁ、あとで旧懲罰室やガレー船設備を見学しますかぁ？　経験者がいるので、生々しい話も聞けますよぉ」

「船長……そういう怖いのはパスでお願いします……」

「了解しましたぁ。まあ、もし暇で暇でしょうがないと思ったら言ってくださぁい。怖い話はぁ、けっこうあるんですよぉ。知らないスケルトンがぁ船に乗ってるとかぁ」

終始ほがらかなイムレミコ船長がそう言ったけど、多分私は遠慮すると思う。


夕食後、私はシャワー室でシャワーを浴びて、自分の寝室に入った。

「部屋はごく普通のホテルだな」

私の横にはロザリーもいる。

「アタシも姐さんと同室らしいですね」

「まあ、ロザリーはあまり部屋って概念もないかもしれないけど、よろしく」

「初の船旅、すごく面白いですね！」

ロザリーは部屋の中を飛び回る。かなりはしゃいでいる。

「うん、私も同感。これならもっと家族を連れてきてもよかったかも。その場合は、もうちょっと普通の船で、普通の航路にしたと思うけど……」

別に機会を作ることはいくらでもできるし、また家族での船旅をしてもいいんじゃないかな。

「姐さん、スケルトンの連中もみんな、話が面白いんですよ。最初百人いたガレー船の乗組員が目的地に着く頃には十人ぐらいになってて——」

「ロザリー、面白い話と称して、怖い話をするのは禁止！」

やはり、歴史をひもとくと、恐ろしい事実がどんどん明るみになってくる。

「じゃあ、カニ漁の話をしますね。カニを網で引っ張り上げるんですけど、その時に首が網に引っ掛かった奴《やつ》がいて、そのまま、ぐいっと引っ張って、首が——」

「だから、怖い話に持ち込むな！　結局、怖い話じゃん！」

「わかりやした……。姐さんを困らせるのは不本意なんで、姐さんに話しかけるのは遠慮します……」

ロザリーが神妙な顔つきになる。

「あっ、別にしゃべるなっていうことじゃないからね？」

「いえ、もう夜ですし、姐さんも疲れてると思うし、ゆっくり眠るべきですから」

「それもそうか。じゃあ、早目に寝て早目に起きようかな」

と、ロザリーが壁のほうを向いた。

「おい、姐さんが寝るから、今は話しかけてくるな！」

「そこに何かいるんだ！」

直接、教えられなくても怖い！

「壁に掛かってる額縁の後ろに護符がついてるんですが、それがはずれかけてて霊が出そうなんです」

「それ、一番聞きたくなかった情報！」

この調子だと、怖いのに耐性がないライカとハルカラは乗船不可能だな……。

私は脳内でできるだけ楽しいことを考えて眠りにつくことにした。

幸い、船はそんなに揺れなかったので眠れた。

高速で空を飛ぶライカに乗っている夢を見た。

船はライカの背中程度のほどよい揺れ方なのだ。

◇

翌日、食堂でベルゼブブと出会った。

「昨日、リヴァイアサン形態になっとるヴァーニアに乗っている夢を見たのじゃ」

「私とけっこう近いね。私もライカに乗ってる夢だった」

「ヴァーニアにしてはあまり揺れんと思ったら、夢であったわ」

そんなにヴァーニアの乗り心地って悪いのか……。

あと、ベルゼブブの手にはまた賢スラが乗っていた。

「賢スラの調子はどう？　長旅で疲れたりしてない？」

これは賢スラではなくてベルゼブブに聞いた言葉だ。賢スラはしゃべれないからね。

「とくに変わった様子はないのう。あと、疲れを感じるよりも、刺激が多くて面白いらしいのじゃ」

わずかに賢スラが上下に動いた。うなずいているんだろう。

「明日には近づけず島のほうに着くんだよね。じゃあ、時間としてもちょうどいいね。ベルゼブブにしてもいい休暇なんじゃない？」

「娘がいればもっとよかったんじゃがのう」

この魔族は、いつもそれだな……。

「わかった。じゃあ、今度私がこの船に連れてくるよ」

「いや、アズサは乗らなくてもいいぞ」

まあまあイラッとした。

そこにキュアリーナさんも来た。

「絵の下書きができました」

そういや、昨日の夕食中に何か描いていたはずだ。

それはスケルトンたちがたくさん並んだ料理を貪り食っている絵だった。

スケルトンの体からは食べたはずの料理がはみ出ている……。

「わかってはいたことだけど、暗い！」

「何も満たされない感じがよく出ているので、お気に入りです。クラゲゲゲ……」

まあ、本人が満足ならそれでいい。

それより、今日の朝食が気になる。

「今度はどんな料理なのかな～。高級ホテルのバイキングみたいなのだったら、いいな！」

食堂に行くと、スケルトンたちがやけに見慣れたものを運んできた。

「朝食もぉ、カニのフルコースですよぉ」

イムレミコ船長が楽しそうに間延びした声で言った。

「あの……昨晩の料理と同じ気がするんですが……」

「この船ってスケルトンがカニばかり獲るんでぇ、ずっとぉ、カニの料理ですぅ」

それは飽きる！

しかし、船長のテーブルにはカニの形をしたパンが置かれていた。

「あの、船長、それは……」

「カニ料理に飽きた人は売店でパンを購入してくださぁい」

売店ってそのためにあるのか！

「わらわは売店に行くとしようかの……」

「朝からカニのコースはくどいですね。ゲゲゲゲゲ……」

みんな、売店のほうでパンを買いに行った。

カニパンはカニは入ってないので、カニの味から解放されるのだ。

やはり幽霊船には幽霊船なりの問題点があるらしい。

……いや、食事の問題ぐらい解決できるだろ。

二泊三日の船旅なんてすぐだと思ったけど、二日目にして早くも飽きてきた。

「ぼうっと過ごすのも、あんまり長いとつらいな……」

私はデッキでごろんと横になっていた。

だいたい、この幽霊船は黒い靄《もや》に覆われているせいで、景色もあまりよくわからないのだ。海を漂っているということぐらいしかわからない。

そこにまた賢スラがやってきた。

昨日のキーボードの布はまだ置いてあるままだ。

「あっ、賢スラ。何か用？」

賢スラはキーボードを使って、こんなことを聞いてきた。

「神とは何か――――って言われてもなあ……」

私の脳内にはメガーメガ神のゆるい顔が浮かぶ。

そうか、賢スラはＵＦＣシンポジウムの際に神様をその目で見たわけだ。

賢者なら、そんなものを見て、興味が湧かないほうが不思議だろう。

しかし――

あの人を基準にして、神を語るのって神って概念に対して失礼な気がするんだよね……。せめてニンタンのほうを元にしてしゃべろうかな……。

「メガーメガ神様だったら、あっさり語ってくれそうだし、直接聞いたほうがいい気がするけど、私が知ってる範囲で話すね」

私は神様について、軽く話をしていった。

でも、それで賢スラの探求心は終わりにならなかった。

精霊のことについても聞かれた（キュアリーナさんに聞けばと思ったけど、彼女は精霊とは無意味なものだとかいった答えしかしてくれなかったらしい）。

時間とは何かについて聞かれた（そんな哲学的なことはわからんと正直に答えた）。

――そこから、いつのまにか私の前世について話す流れになっていた。

「そんなに人前で話すことじゃないんだけど、賢スラにならいっか」

賢スラは自分の頭の中で考察を深めていくタイプのはずだから、その知識を外部に発信したりといったことはしないはずだ。

いざ、話していくと、案外前世のことを忘れてはいないことに気づいた。

あと、話すうちに自分でもたくさん反省点が出てきた。

あの時はああしておくべきだったとか。

その逆で、するべきじゃなかったなとか。

できれば、あれはしておきたかったなとか。

そして、その反省点を無意識的に生かしながら、私はこの世界で暮らしてきたということもわかってきた。

おおむね、それは上手《うま》くいっている。

家族ができるということは想定の範囲外だったけど、それでも私はいい感じで家族をやれていると思う。高原の家ほど素晴らしい家族はどこを探したってないはずだ。

そういう意味では失敗も今につながっているわけだ。完全に無駄ってことはない。スライムを倒し続けてきた私がスライムに身の上話をするって、人生というのは不思議なものだ。

時折、賢スラはぴょんぴょんジャンプして、相槌《あいづち》を打つのに相当するような動きをした。

「――まあ、こんな感じでどう？」

賢スラはキーボード上を動いて私に、こう伝えた。

ありがとう、という意味の言葉だ。

キーボードを使うから、ありがとう、の一言だけでも賢スラにとったら大変で、だからこそ、その言葉はやけに私の心に響いた。

「いやあ、賢スラが賢者な理由、わかった気がする。すっごくひたむきなんだもん」

賢スラは「まだまだです」という意味の言葉を打った。謙虚だなあ。

「でも、たまには休んでもいいんだよ。スライムに過労死ってあるのかわからないけど、疲れはするだろうし」

私は微笑《ほほえ》みながら賢スラを撫《な》でた。

よしよし。

ただ、いい気持ちでその日の夕食を迎えたものの――

「やっぱり、カニのフルコースかっ！」

昨日の夕食と寸分たがわないものが並んでいる。

「おかわりもありますよぉ」

船長はマイペースにそんなことを言っている。なお、船長はまたパンを食べていた。

「この船、カニしか獲れないんですよねぇ。もっといろんな海の幸が獲れればいいんですけどぉ」

せめてカニ以外のコースの選択肢を用意してほしい……。

これが一週間の船旅だったら限界があったな……。

◇

船旅三日目。

朝食を食べに食堂に来たら、またもカニが並んでいた……。

「朝からカニはいいや。パンを買います……」

「わらわもじゃ……」

「クラゲゲゲ……。朝食は抜きます」

私とベルゼブブは売店で無難にパンを買って食べた。キュアリーナさんは朝食を食べないらしいが、まあ、とてつもなく長い時間を生きてる精霊に健康に悪いも何もなさそうだし、いいだろう。

「今日、ついに船は近づけず島に着くんだよね」

私はカニ型のパンを食べながらベルゼブブに言った。

「予定ではな。しかし、近づけず島に無事に到達するには潮流を超えていかねばならんのじゃ。そこは実際にやってみんとわからんぞ」

「はぁい。そこは、わたしにお任せくださぁい」

語尾を伸ばした口調でイムレミコ船長がやってきた。

「船長、口にパン屑《くず》がついておるのじゃ……」

船長は口をぬぐった。

パン屑が横に移動しただけだった。

口に出しては言えないが、あまり信用できないな……。焦ってる船長もまずいけど、おっとりしすぎてる船長も怖い。

けど、船長本人が自信ありげなのは間違いなかった。

「大船に乗ったつもりでいてくださぁい。なにせ——わたしは船舶免許を持ってますからぁ！」

イムレミコ船長がドヤ顔で免許を私たちの前に突き出した。

「ああ、これなら安全——って、当たり前でしょ！　無免許だったらダメでしょ！」

「アズサさぁん、近づけず島に着くのは本当に大変ですぅ。でも、ちゃんと必勝法があるんですよぉ。わかりますかぁ？」

「それは聞きたいです。あと、まだパン屑ついてます」

イムレミコ船長はまた口をぬぐった。パン屑が移動した。本当に不器用だな！

「ずばりそれはぁ、勝つまでぇ諦めずにぃ、チャレンジし続けることですよぉ！」

船長はすごくゆっくりと右手を振り上げた。

そうか。理屈はわからなくもない。

「何回座礁しようがぁ、何回沈没しようがぁ、近づけず島に行けるまでぇチャレンジすれば絶対行けますぅ。行くまでやると決めた時点で絶対に行けるんですぅ！」

「うんうん、そうだね試行錯誤は大事――って、沈没したり座礁したりしちゃダメだから！　その時点で次のチャレンジができなくなるから！」

「わたしはぁ、船舶免許も何度も落ちてぇ、ついに獲得しましたぁ、行けますぅ！」

「乗客に言うタイプの自慢じゃないぞ！」

急激に不安になってきた。この船、大丈夫なのか……？　今のところ、大丈夫じゃなさそうな情報ばかり入ってきてるぞ……。

「アズサよ、おぬしは空中浮遊の魔法は使えるじゃろ？　だからどうにかなるのじゃ」

「ベルゼブブも発想がおかしくない？」

そんな、たまに漂流したりする遣唐使の船みたいなサバイバルな船旅は嫌だぞ。

「いや、近づけず島のほうに行ってくれる船そのものがなかったのじゃ……。命知らずの船乗りたち逃げ腰でな……。結果的にこの第七スペクター号になったわけじゃ」

「あっ、もう、天国旅行号に改名してますよぉ」

本当に船の名前が縁起でもなくなってきた。天国への片道切符っぽい。

ぽんぽんと船長に肩を叩《たた》かれた。

「アズサさぁん、人魚はよくこう言うんですぅ。人生、浮く時もあれば沈む時もありますぅ。やる前から悩んでもぉ、しょうがないですよぉ」

「いや、ポジティブなのはいいんだけど、船として沈んだらダメなの！　そこまでのリスクなら事前に考慮したほうがいいの！」

この船長の性格、具体的にわかってきたぞ。

ゴーイング・マイ・ウェイでレット・イット・ビーで前向きな生き方をしてる。

そこは大変素晴らしいと思う。

でも、リスクヘッジを一切してない！

目をつぶって突撃するのと、いろいろ検討して突撃するのとでは、意味が違うはずだけど、この人の中ではごっちゃになっている。

悲観的に生きるべきじゃないけど、こういう性格も問題があるな……。

ベルゼブブが連れてきていた賢スラがやけに動き出したので、キーボードの布を敷いた。

賢スラがぴょんぴょんその上を動いた。

「ほうほう、往々にして愚者が扉を開くこともあるものだ——と言っておるのう」

この場合の愚者って確実に船長のことだろ。

賢スラのことはスルーして船長はパンを食べていた。ほっぺたのパン屑が増えている。

「さてとぉ、いいかげん、潮流が難しいところに来ましたねぇ。わたしのぉ、腕の見せどころですねぇ」

船長が腕まくりをした。

おっ、やる気だな。

「救命ボートの場所を確認しておいてくださいねぇ」

「腕まくりをして言うことじゃない！」

「三十回もやれば一回ぐらい成功しますからぁ」

この人に船舶免許を与えてよかったのだろうか。

正直、あまりにも信用できないので、私とベルゼブブたちは船長室に入った。

そこには舵が設置してある。これを動かして向きを変えていくらしい。

「はぁい。皆さん、見えますかぁ？　この先、白い潮がはっきりありますねぇ」

視界の先にはいくつも、潮の流れがあった。渦潮になってるところまである。

「この潮をかいくぐっていかないと、近づけず島には入れないんですよぉ。まずは前方のあの二つの潮の間を通りますねぇ」

「こうやって聞くと、腐っても専門家という感じがするのう」

できれば腐ってない専門家を雇ってほしかった。

「まず、右に舵を切ってぇ、そこから急速に左に切りますねぇ。で、また右に急カーブしていくとぉ、わかりますかぁ？」

潮の流れの間が道路みたいに見えてきた。

そこを進むしかないということなので、案外この見立ては正しいだろう。

「じゃあ、第一回目行きますよぉ！」

船が大きく傾く。

さらに今度は逆に傾く。

さあ、行けるか？

「あっ、潮に入ったので失敗ですぅ」

「失敗早い！」

「アズサよ、ミスをしてもたいしたことじゃないのじゃ。元の場所に戻ってくるだけじゃ」

ベルゼブブの言うように、船は複雑な潮流の入り口に引き戻された。

こうやって見ると、ゲームっぽさがある。

船長が何度も試せばいいと言っていた意味もさっきよりはわかってきた。近づけず島に行くのは失敗したからといって、とんでもないことになるわけはないのだ。

「はい、ではぁ二回目にチャレンジしますよぉ！　……失敗ですぅ」

「せめて、もうちょっと粘ってよ！」

船が右になったり左になったりしてる中で私は思った。

このままだと、そのうち酔うな……。

ベルゼブブは知らないうちに自分の翼でぱたぱた飛んで浮いていた。

私も空中浮遊の魔法を使って対策をすることにしました。


潮流かいくぐりチャレンジはそのあとも延々と続いた。

そのうち、そこそこ先まで行ける時も出てきた。

「おおっ、五箇所目の急カーブをクリアできましたよぉ！」

「いいよ、いいよ！　そこですぐにまっすぐにして！」

「いや、このままもうちょっと進んだほうがいいのじゃ！」

ベルゼブブと私の意見が対立した。

「ベルゼブブ、それだとコントロールが利かないじゃん。二手、三手先を読まなきゃ」

「ニュートラルポジションに戻れば絶対安全というわけではないのじゃ。お前こそニュートラルポジションを過信しておる！　そのせいで出遅れたら無意味なのじゃ！」

そんなことを言ってる間に船がまた潮流に入って、押し戻されていった。

「あああ！　惜しかったのじゃ！　近づけず島が少し見えておったのじゃ！」

「ドンマイ、ドンマイ！　船長はだんだん上手くなってきてる！」

予想以上にゲーム的なものになっている。

そこに、ふわふわとロザリーがやってきた。

「今日はやけに船が揺れますね。スケルトンがたくさん転がってますよ」

「近づけず島に入るための試練なんだよ」

「あと、クラゲの精霊さんが酔って動けなくなってました」

クラゲの精霊でも酔いはするんだ……。


それからもイムレミコ船長はトライを重ねたが――

なかなか潮流を突破できなかった。

回数を重ねることで集中力も落ちてきた気がする。

「むむぅ、難しいですねぇ。でもぉ、明日や明後日、あるいは三日後や四日後には成功しますよぉ。いつかは成功するからぁ、今のわたしもぉ、成功してぇるようなものですねぇ」

四日後にやっと潮流を抜けたとしたら、それは失敗として反省してほしい。

「船長よ、船舶免許を持っておるんじゃったら、もっとスムーズにやれんのか？」

「船舶免許はぁ、お情けでぇもらいましたからぁ、運命の女神がいるならぁ、いつかぁお情けが来ますよぉ」

また、聞きたくない話を聞いてしまった！


「よし、わらわに代わるのじゃ！」

なんと、ベルゼブブが船長を押しのけて舵を握った。

「えっ？　それ、法的にいいの……？　船舶免許なんて持ってないでしょ？」

「ほかの船に接触する危険もないからええじゃろ！　ようは舵の切り方だけの問題じゃ」

「そうですねぇ。お酒を飲んでないから、いいですよぉ」

飲酒運転じゃなくても、無免許運転だから多分ダメだと思う。しかし、ぶつかって迷惑をかける船がないのも事実なのか。近づけず島に行く人なんてほぼいないらしい。

「ほれ、ほれっ！」

「ベルゼブブ、自分の体もしっかり傾いてるよ」

車の教習だと注意されるやつだ。

「放っておけ。成功すればええのじゃ――ああっ！　潮に入ってしもうた……」

ベルゼブブがすごく残念がっている。

「素人では無理ですよぉ。絶妙の舵切りテクがいるんですからぁ」

船長がドヤ顔してるけど、あなたも一度も成功してませんよ……。

ベルゼブブも数回チャレンジしたが、全部途中敗退となった。

「くそっ！　あの四箇所目のカーブが卑怯《ひきょう》じゃ！　あれでは三箇所目のカーブのちょうど真ん中を通らんと、絶対接触するではないか！」

もはや覚えゲーのようになっている。

でも、ゲームなら前世で多少はやってたぞ。

「よーし。ここは私もやるよ！」


——しかし、ベルゼブブが舵を代わってくれない。

「まだ、わらわがやるのじゃ。もう少しでコツがつかめそうなのじゃ！」

「それはズルいよ！　もう、いいかげん代わってよ！」

「そんな決まりはないはずじゃ！　それに、潮流を通過するには、同じ者が繰り返しやるほうが成功確率が上がるじゃろう！」

ゲームの席の取り合いみたいになってるな……。


どうにか、ベルゼブブから代わってもらって、舵を握ることになった。

「こ、ここを右、それですぐ左に行って……ここでまた右……」

「おぬしも体ごと曲がっておるではないか」

「黙ってて！　集中しなきゃいけないんだから！　おっ、抜けた、抜けた！」

「あほか。その抜け方では次のカーブが曲がれんわい。わらわのプレイを見ておらんかったのか」

「だから黙ってて！　……ほら、ベルゼブブがうるさいから当たったじゃん！」

「違うわ。最初から失敗しておったのじゃ。そこはただ抜けるだけではダメで、完全に抜けねばその先で必ず押し戻されるのじゃ。わらわのせいにするな」

私も完全にゲーム（？）に熱中してしまっていた。

「あの、姐さん、アタシもやっていいですか？」

ロザリーも興味を持ったようだ。

「わかった。じゃあ、やってみて」

まあ、前世でゲーム経験がある私よりは下手なんじゃないだろうか。

しかし――舵を握った（厳密に言うと、霊的な力で舵を動かしている）ロザリーの目の色が変わった。


「よっしゃ！　やってやるぜ！　飛ばしていくぞっ！　オラオラオラオラオラオラ！　オラオラオラオラ！」


ロザリーが過激になっている⁉

ハンドルを持つと性格が豹変《ひょうへん》するタイプだったのか。完全に暴走族だぞ……。

でも、ロザリーの舵裁きはやけに上手かった。

間一髪のところで潮流をかわす。

「っしゃ！　越えたぜ！　次もやってやんぜ！」

「おお！　いいよ！　船は傾きまくってるけど、しっかり前に進めてる！」

「いい感じじゃ！　近づけず島が正面に見えてきたのじゃ！」

あと、二箇所、カーブを曲がればゴールできそうだ。

けれど、その先に難関が待っていた。

ほぼ直角に細いところをカーブしないと潮流にぶつかるゾーンが連続してある！

「おいおい！　こんなのどうやって曲がるんだよ！　……あっ、潮に接触しちまった！」

「惜しい！　ってか、これ、本当にクリアできるの？」

「もはや、ほぼ運任せじゃのう……」

私たちがのめり込んでる横で、船長はパンを食べていた。賢スラも船長に抱えられていた。賢スラも興味があってやってきたらしい。


そのあともロザリーは暴走と紙一重の素晴らしいドライビングテクニックを披露したが――

最後の急カーブをどうしてもクリアできない！

「すぐに舵を切っても当たるし、少し待って切っても間に合わなくなるし、厄介だね」

「なんか、裏技がないと厳しいのう……」

ベルゼブブ、本当のゲームじゃないんだから裏技はないぞ。もっとも裏技がないかと言いたくなるのはわかる。それぐらいに難しい。

そこに、部屋にもう一つ気配が増えた。

「酔いまくってるうちに慣れてきました……」

キュアリーナさんも何をしてるか気になって来たようだ。

「あっ、キュアリーナさんもプレイしますか？　島の手前までは来てるんですけどね」

私は一部始終を説明した。

「そうですか。三十分ほど待ってもらえますか？　それだけ時間があれば大丈夫です。島に着きますよ」

「わかりましたぁ。三十分待ちますぅ」

キュアリーナさんは落ち着いた表情でそう断言した。

責任者である船長が認めた。

っていうか、私もベルゼブブも完全に盛り上がって、操縦しちゃってたや……。


三十分ほどすると、キュアリーナさんは戻ってきた。

「準備終わりました。もう、大丈夫だと思います」

準備って何なのかと思うけど、まあ、いいや。

「じゃあ、次はクラゲの精霊のおぬしがゲームをやるか」

もう、ベルゼブブ、完全にゲームって言っちゃってるな……。

「いえ、ゲームに興味はないから、ほかの人がどうぞ」

キュアリーナさんは上の空という表情で、右手を横に振った。

えっ!?　じゃあこの三十分は何だったの……？

しょうがないのでもう一度、イムレミコ船長が舵を取ることになった。

船長は両手を舵に置く。

いや、本来、船長以外が動かしちゃダメなんだよね……。

「よぉし、船長らしさを見せてあげますよぉ」

さあ、また潮流に入っていくぞ。

まず最初のカーブだ。

「おっとぉ、舵を早く切りすぎましたぁ」

「最初からミスってる！」

序盤のやり直しはそんなに時間的には痛くないけど、不安にはなる。だが——

「まだまだぁ」

ここはすぐに舵を切り直して、船長は乗りきった！

そこから先も船長はなかなかいいタイミングで潮の中を過ぎていく。

「おおっ！　船長、いい感じじゃないですか！」

「後ろで何度も見てたんでぇ、何秒目に曲がれば成功かを学習しましたぁ」

船長が素人から学習するのってどうなのかと思うけど、特殊なケースだからいいのかな。先には進んでいるし。

次第に例の二箇所の九十度カーブが近づいてきた。これ、車の運転でもつらいだろうな。

「ここから先はぁ、正解を知らないのでぇ、タイミングがわからないですぅ」

見て覚えるやり方にはこんな限界がっ！

しかし、そこで奇妙なことが起きた。

船が潮に巻き込まれる直前、突然、逆側の波が来て、船を押し戻してくれた。

「奇跡が起きましたね、姐さん！　まだやれるぜ！」

「うん、継続はラッキーも呼び寄せるんだね。でも、ここは通れるところが細いから……これだけ急に曲がると、対面の潮に入っちゃうよ」

本当にスレスレを通らないとたどり着けないような難易度なのだ。

しかし――

さらに向かい側からも都合のいい波が来て、船の向きをちょうどいいところに動かした。

「おおぅ、これならそのまま進めばいけますねぇ」

「やったのじゃ！　地獄のカーブを乗り越えたのじゃ！」

「船長の腕ですよぉ」

ほぼ、運でどうにかなっただけなので、そこで威張るのもおかしい気はする。

けれど、もう難関はない。近づけず島に入れる！

「しかし、よくあれだけラッキーが続いたなあ……。それぐらい、何度もやってたってことかな……」


「波の精霊にいい波を出してもらいました」

ぼそっとキュアリーナさんが言った。

あっ……そういえば、過去にクラゲを動かす時にもそんなことがあったな……。

「だから、この先も大丈夫です。クラゲゲゲ」

実際、最後になる二箇所目の九十度カーブも両側から船を守るように波が来て、強引に角度の調整が行われた。

まさに裏技が使われたのだ。

キュアリーナさんに来てもらって大正解だった。でないと、まだ何日もカニのコースが出てくるところだった……。

◇

そのまま船はまっすぐ近づけず島に到着する。もう邪魔になるものもない。

砂浜が目の前に見えるが、少し深くなっていそうなところには石造りの港湾施設の跡みたいなものがある。おそらく、かつて海賊が使っていた時代の遺物なのだろう。

一方で島の奥に目をやると、いくつか廃墟みたいなものが森の中にひっそりと残っていた。

ここに賢者がいるのか。

「船長パワー炸裂《さくれつ》ですぅ」

「厳密には波の精霊のパワーじゃろ……」

私もベルゼブブのツッコミに一票投じたい。

けど、賢スラがぴょんぴょんジャンプして喜びを表現していたし、いいかな。

裏技だろうと、なんだろうと、たどり着けることが一番だ。

と、その時、私のおなかに異変が起こった。


――ぐうぅぅうぅぅ～うぅぅうぅうぅ～。


「ずいぶんと長い腹の虫じゃのう」

ベルゼブブにからかわれた。たしかに、なかなかの長さだった。

「姐さん、そういや、もう昼過ぎですよ。生きてる人はごはん食べないと」

ゲームに熱中していて、食事を忘れていたのだ。童心に返ってしまっていた。

「本当ですねぇ。では、船を島のところで泊めて、お昼にしましょうかぁ」

イムレミコ船長がそう提案した。うん、今ならがっつり食べられそうだ。

「カニがまだまだありますよぉ」

やっぱりカニしかないんだな……。

おなかが減っていたので、カニもおいしく食べられました。

ギャルっぽい賢者に会った

She continued destroy slime for 300 years

私たちは近づけず島に上陸した。

船が流されるとシャレにならないので、慎重に係留《けいりゅう》する。

「いざ、上陸！」

私が最初の一歩を踏み出そうとする前に、ぴょーんと賢スラが飛び出た。

「やっぱり、賢者に会うのが楽しみなんだ」

賢スラがはしゃいでいるのがよくわかる。

それとスケルトンの船員がどたどたと島に降り立った。

何をするんだろうと思ったら、砂浜で日光浴をはじめた。

「割と満喫する気だ！」

「ああ、スケルトンたちはずっと船にいるとぉ、カビが生えることもありますしぃ、太陽の光を浴びるのも大事なんですよぉ」

そう言ったイムレミコ船長も水着姿になっていた。しかもボールまで持っている。

「わたしとスケルトンはぁ、船の留守番をしますからぁ、賢者のことはよしなにぃ」

留守番は口実だと思うけど、島まで来た時点で業務は完了してるのは間違いない。

あとは私たちで賢者を見つけないとね。

改めて、波の精霊に頼んでくれたキュアリーナさんにお礼を言おうと思ったけど、もう廃墟の絵を描く準備に入っていた。彼女の好きそうな題材だしな。ここで好きなだけ絵を描いていてもらおう。

じゃあ、賢スラを連れていくのは、私とベルゼブブとロザリーか。

「ところでさ、世界三大会うのが難しい賢者の名前って、何て言うの？　それと島のどのへんにいるのかな？」

「連続で質問をするな。わらわも知らん。わかるのは変な奴《やつ》ということだけじゃ」

私はあのビンに入っていたという手紙の内容を思い出した。

「……うん。変な人だろうな」

「まっ、島に着けば、こっちのもんじゃ。探し回れば見つかるじゃろ」

「じゃあ、アタシが軽く森に入って見てきますね」

ロザリーがするするっと廃墟と森が融合した中に入っていった。

幽霊による偵察――冒険者パーティーとしては理想的な気がする。


私とベルゼブブはしばし待つ。

「せっかくじゃから、食える木の実なんかもあるとよいのう」

「ちなみに、カニは歩いているよ」

小さなカニが横切っていった。

賢スラにぶつかると、カニのほうがどいた。

「カニは飽きたからほかのものがほしいのじゃ！　種類の違うカニでも嫌じゃ！」

「わかってる、わかってる！　本当にカニじゃないものがほしいや……」

ほかにもヤドカリが歩いていたが、あれも似たようなものだから食べたくない。

「森はそれなりに深そうじゃしな。この様子じゃと、賢者を見つける前に、何かしら食えるものが見つか――」

「姐《ねえ》さん、人がいました！」

ロザリーが森から戻ってきた。仕事が早い！

興奮をこらえきれないのか、賢スラがかなり高くまでジャンプした。そのバネみたいな力は体のどこにあるんだろう。

賢スラにとったら、オフ会に誘われたような気持ちなのかもね。

「やけにすぐわかったね。この廃墟のどれかにひっそり住んでたりしたの？」

ある種、隠遁《いんとん》生活にはちょうどよさそうな環境だ。

「いえ、三十人はいました。なので、どれが賢者かはわからないんですけど、人がいることは間違いないです」

「まああ人口がいる！」

こんな隔離された環境にそんなに住んでいるのか。

孤島で一人生活している賢者というイメージが見事に崩れた。

三十人って、だいたい一クラス分もいるんだな。その集落の一番偉い人が賢者だったりするのか？

「まあ、魔族の世界にも、かつて『迷いの森の七賢』と言われた、七賢者が暮らしていたという伝説もあるのじゃ。三十人集まることで、新たな知見を生み出しておるのやもしれん」

「どこの世界にもそういう賢者の伝説とかってあるんだね」

「八人目になりたい奴もおったようじゃが、迷いの森に阻まれて到達できんかったそうじゃ」

それも、また会いづらい賢者じゃん！

「それにしても、三人寄れば文殊《もんじゅ》の知恵って言うし、三十人集まればすごいことになりそう」

「モンジューってなんじゃ？」

さすがに通じなかったので、賢者の名前だと雑に答えておいた。

「それでロザリーよ。そいつらと話はしたのか？」

ベルゼブブが注意深く尋ねた。

「もしやと思うが、『なーなーなー』ばっかり言ってたりはせんじゃろうな？」

ユル族を警戒している！

かつて私が無人島（と思っていた島）にたどり着いた時、「なーなー」とばかりしゃべる部族に出会ったことがあった。

ユル族ととりあえず名づけたのだけれど、あとで魔族のイエティが南の島の部族ごっこをしていたことが発覚したのだ。なお、「なーなー」しかしゃべらないのはキャラ作りのもので、普通に会話できた。

そう、部族のつもりになってる集団の可能性があるからな……。

「いえ、そんなことはなかったです。こっちのことを話したら、森のほうに来てくれって言われました」

私たちが招かれざる客として警戒されている可能性もあった。ただ、私が一般人なら少し怖いけど、戦闘になっても負けることはないし、危険はないだろう。

「じゃあ、行くとするかのう」

ベルゼブブも賢スラを抱き上げた。


「うん。世界三大（会うのが難しい）賢者を見てこよう！」

◇

そして私たちが森の中に入っていくと――

だんだん会話の声が聞こえてきた。

並んだ木のテーブル席に座りながら、ぺちゃくちゃしゃべっている。

しかも木のカップに入った飲み物みたいなのも置いてある。

これは喫茶店じゃないのか……？

「想像していたのと違う！」

じっくり観察してみると、みんな普通の人間ではない。

なんというか、サンドラっぽさがあるのだ。頭に花をつけていたり、葉っぱをつけていたりしている。

あと、根っこだか茎だか不明だけど、そういうのが腰から伸びていたりする。

それからほぼ女子、いや全部女子なのか？　全体的にギャルっぽい。おそらく人間とは違う何かの種族だろう。

向こうも私たちに気づいたらしい。

「あっ、激レアじゃん！」『うわ、あの魔族の服、コスプレみたいだよねー、ウケる！」

「コスプレではないわい！　正真正銘の魔族の大臣じゃ！」

一人がベルゼブブの服を笑ったので、ベルゼブブが文句を言っていた。ベルゼブブの服のほうにも問題があると思う。

「それで、おぬしらは――見たところ、ドライアドじゃな」

ベルゼブブには彼女たちが何者かわかっていたらしい。

「たしか、ドライアドは草木の精霊みたいなポジションの種族だよね」

サンドラに近いものを感じたのもそのせいか。

「そうそう」『こっちはドライアドやってんよー』『で、みんなは何しに来たわけー？」

ベルゼブブが賢スラを持って、ドライアドたちのほうに突き出した。

「この賢いスライムに会いたいという手紙を送った者がおるのじゃ。世界三大会うのが難しい賢者を名乗っているような奴はおらんか？」

奥のほうのテーブル席で「はい、はーい」と手を挙げる子がいた。

「ミユが世界三大会うのが難しー賢者でーす。そのスライムが賢いスライム？ わーマジ会えた！ 奇跡じゃん！」

とくにギャルっぽいドライアドだった！

「あれ、ミユのダチ？」「遠くから来たみたい」「マジで？」「物好きな人もいらっしゃいますことね」

同じテーブル席に座っていたドライアドたちの反応も聞こえる。

基本的にギャルっぽいが、一人お嬢様っぽい口調のドライアドが混じっている。

「魔族と幽霊と魔女？」

「姐さん、アタシ、こういうの苦手です……」

ロザリーが私の後ろに隠れた。

「べ、別に隠れなくても……」

ギャルとヤンキーって相性が悪いのだろうか？

「こっちの席が空いてるからみんな座って。あと、注文はあっちでやってね」

あっちと言われたところには注文用カウンターみたいなところがあった。喫茶店そのものか。

「どんなメニューがあるんですか？」

私は店員のドライアドに聞いた。店員はもうちょっと清楚《せいそ》な雰囲気がある。

「だいたい、果汁と樹液ですね」

ドライアドらしいメニューだった……。

「樹液よりは果汁だな……。ベルゼブブも果汁でいいよね？　じゃあ、果汁のトールサイズ二つください」

ベルゼブブがこくりとうなずいていた。

「果汁のトール二つですね。氷は抜きにもできますが、どうしますか？」

「ベルゼブブ、氷抜く？　じゃあ、氷も両方抜いてください」

また、ベルゼブブがうなずく。

「わかりました。シロップで甘くしますか？」

「じゃあ、二つともお願いします。支払いってどうするんですか？」

「ドライアドじゃない方はサービスです。横でお出ししますので、しばらくお待ちください」

「できるまで待ってよっか」

私は提供用カウンターのほうに移動した。

「おぬし、やけに手慣れた対応をしたのう！」

ベルゼブブにツッコミを入れられて、初めて自分がスムーズにやりとりしていたことに気づいた。

「ほんとだ……。なんか、だいたいわかっちゃったんだよね……」

私とベルゼブブは果汁の入った木のカップを持って、テーブル席に戻ってきた。

すでに賢者のドライアドと賢スラが対話をしていた。

といっても、賢スラはしゃべれないので、ドライアドのほうが一方的にしゃべっているようだったけど。

ちなみにどんな話をしているんだろう。

「そ～なんだよね。ヤバくないの？　ヤバいっしょ？　ヤバいわ～」

ヤバいしか言ってない！

「あの、ドライアドの賢者さん、せっかくなんで自己紹介してもいいですか？　私は高原の魔女のアズサです。この幽霊の子は同居してるロザリーで、その魔族はベルゼブブ」

私はざっと説明をした。

「そっか、そっか。ミユの名前はミユミユクッゾコ」

フルネームが個性的すぎる！

「ええと、その……変わったお名前ですね」

「ドライアドにとったら普通じゃん。この島、今はドライアドしか住んでないしさ。こんな感じでだらだら暮らしてるわけ。一応、ミユが世界三大会うのが難しい賢者だけど、ここのみんなとしゃべりながら勉強してるから、この島みんなヤバい賢者みたいなもんだよね。賢者しかいない島ってヤバくない？」

そこはさっき聞いた迷いの森の七賢と同じようなところがあるな。このミユミユクッゾコも、どちらかというと個人ではなくてグループで偉いタイプらしい。

ベルゼブブがものすごくうさん臭そうな目でミユミユクッゾコというドライアドを見ていた。

「賢いスライムもそうじゃが、見た目から賢者らしさは感じられんのう」

たしかに、ギャルっぽさしか感じられない。この世界にギャルって概念があるのかは不明だけど。

「いや、そりゃ、そうでしょ。ぁたしは賢者ですって言ってる人とかヤバいでしょ？　そんなの、賢者じゃないじゃん。賢者だからこそヤバみのある奴として振る舞うのはデフォじゃん」

ベルゼブブの言葉は笑い飛ばされた。

言いたいことはわからなくもないが、「ヤバい」という表現の意味が広すぎて混乱する。

ベルゼブブはまだ納得がいってないという顔で、賢スラ用のキーボードの布を広げた。

賢スラが「大変興味深い内容である」ということをキーボードの上を移動して示した。

「そうやって、会話するんだね。ヤバいわ。マヂヤバいわ～。ウケる！」

ミユミユクッゾコは爆笑していた。この名前、呼びづらいし、ミユって呼ぶことにしよう……。

「クッゾコの場合は、賢者やる時、楽だったな～」

「そっちを一人称にすることもあるのかよ！」

ミユのほうがかわいいじゃん！　さっき、ミユって自分のこと、呼んでたじゃん！

「そのツッコミヤバいわ～。いただき！」

なんか、いただかれてしまった。どうぞ、さしあげます。


そのあと、私たちはこの近づけず島でのことについて、いくつか質問した。

今、この島に住んでいるのはドライアドぐらいのもので、それでだらだらと過ごしているのだということだった。

「ところで、ドライアドたちはどこかに出ていったりしないんですか？　ドライアドがいるのってあまり見かけたことがないんだよね」

「ああ、それはそうに決まってるしー」

ミユは急に席を立ち上がった。

そして、たたたっと走り出した。

いったい、何だ⁉　逃げないといけないようなことがあった？

――と、ミユの背中から伸びているコードみたいな線がピーンと張った。

「ほら、これ。ドライアドはこのツルで木から栄養もらってるんだよね～。だから、遠くへ出ていくとかマジ無理なわけ～。ヤバいでしょ」

「そんな事情があったのか！」

ドライアドを見かけない理由もこれなんだろう。こちらから会いに行かないと遭遇することもないわけだ。

「ずっと動けないって大変だな。アタシも長く地縛霊してたからわかるぜ」

ロザリーが同情するような顔をした。

少し暗い空気になりかけたことにミユがあわてた。

「あっ、そんな地縛霊みたいにヤバいように受け取られても困るし！　コードレスもできるし！」

えっ？　コードレス？

変な言葉が聞こえた気がした。

ちょうど店の前のほうを、ほかのドライアドの客たちが通った。

その客たち、ツルみたいなものが伸びてないぞ。

「あっ、この席、マナの補充できるじゃん！」「ラッキー、この席にしよ！」

そして、頭についてる葉っぱみたいなものを引っ張ると、コードらしきものが伸びた。

それをテーブルのコンセントらしきところに挿入していた。

「ふう、補充できると落ち着くわ～」「でも、コードレスで動きまくって疲れてから補充するほうが気持ちよくない？」「それ、わかる～♪　ダイエットになりそうだよね～♪」

スマホの充電みたいなことをしている！

「そんなに珍しい？　はるか昔はドライアドってあまり木から動けなかったらしいんだけど、それだとヤバいぐらい不便じゃん？　だから、いろいろヤバめに進化したわけ」

種族ってそんなふうに進化することってあるんだ……。

「ちなみにクッゾコは遠方に行く時はこのバッテリー使ってるねー」

ミユはカバンからイモらしきもの……いや、イモを取り出した。

種類からすると、ジャガイモではなくてサツマイモ系のほうだ。スイーツとして使えそうである。

「何それ。食べるの……?」

「ウケルー！　食べるわけないじゃん！　こうやって使うんだってー！」

そのイモの根っこだか茎だかわからないものをミユは引っ張った。すると、どんどんその部分が伸びていく。

そして、そのイモコードの先端部分をミユは背中に差し込んだ。

「これがあれば、木から離れても大丈夫だし。マナを供給できるしー」

モバイル・バッテリー！

「ううむ……。まさかドライアドがこんな独自の進化を遂げておったとはな……。魔族のほうでも把握できておらんかったのじゃ……」

ベルゼブブも呆然《ぼうぜん》としている。ガラパゴス的に周囲と隔絶された地域は、奇妙な変容を遂げるということなんだろう。近づけず島っていうぐらいだしな。

賢スラもキーボードの上を移動して「興味深い」という言葉を作った。

「でしょ、マヂヤバいでしょ？」

さっきから、ほぼ「ヤバい」で説明しているな。

ただ、これだけ予想外の発見や出会いがあった時点でここに来る価値はあったと思うんだけど、一つ納得がいってないところがあった。


このミユというドライアドは本当に賢者なのか？


世界三大会うのが難しい賢者という概念がニッチすぎると言えばそれまでだけど、あんまり賢い感じはない。

いや、ギャルだからあほっぽいというような差別をするつもりはないぞ。

でも、賢者っていうほどの賢い要素はあんまりないよなあと思うのだ。

私は賢者に会わなきゃいけない使命感なんてないし、ミユが賢者らしくなくても問題はないのだけど、わざわざやってきた賢スラがそれで失望したら、ちょっと残念だ。

オフ会で会った人が、ウェブでの印象と違ったというような現象が起きるのでは……。

すると、ベルゼブブがぽんぽんと私の背中を叩《たた》いて、小声で言った。

「せっかくじゃし、賢者同士で話してもらってはどうじゃ？　わらわたちはこの島でも観光してこよう。なんなら船長たちも連れていってもよいしの」

たしかに、私たちがいると賢者同士の対談が成立しないという面はある。この島も気になるし、ドライアドに出会ったことも船長に連絡してないままだから、一度報告のためにも戻ったほうがいい。ただ――

私も小声で返事をする。

「わかるんだけど……このミユって子と賢スラを二人きりにしていいのかな……？　話、噛《か》み合わなそうなんだけど……」

「その時はその時じゃ。性格が合いませんでしたとわかることも立派な経験じゃろ。その経験こそ、あまり人と会うことのない賢スラに必要なのかもしれん」

「ベルゼブブ、けっこういいこと言うね」

「何で、少し意外そうなのじゃ！　失礼じゃぞ！」

結局、ベルゼブブに押し切られる形で私たちはミユと賢スラを残して、店を出た。

◇

そのあと、私たちはイムレミコ船長を伴って、ドライアドの子に島を案内してもらった。

人魚である船長は歩けるのかと思ったけど、地面をずりずりすりながら進んだり、ジャンプしたりしていた。

「わたしの魚の部分、無茶苦茶筋肉が多いですからねぇ。これぐらいはお茶の子さいさいですよぉ。でないとぉ、そもそも立てないですよねぇ？」

「けっこう船長も元気なんだね」

ドライアドの島もなかなかインパクトがあった。

森の奥に行くと、服の店や雑貨の店がいくつもあった。植物の繊維などから作っているようだ。ドライアドはギャルらしくオシャレらしい。

しかし、厳密には店じゃなかった。

「これって、いくらなの？」と、私は案内してくれたドライアドに聞いた。

「ここはタダだよー」と言われた。

「えっ？　タダ？　それ、経済回らないいんじゃ……。でも、この島のサイズだと経済も何もないかな……」

「みんな趣味で作って、ほしい人が勝手にもらってる。それでいーじゃん。樹液がほしい人は樹液と交換って言ったりするけどさー」

「どうも、貨幣という概念がドライアドにはないようじゃの。狭い島であるがゆえのせいじゃな」

ベルゼブブも真面目《まじめ》にメモをとりながら歩いていた。雰囲気は大臣の視察って感じだな。


そのあとも、たっぷり三時間ほど近づけず島を観光した。

異文化を体験するというのはなかなか楽しい。案内役のドライアドの子の部屋も見せてもらった。ピンクの花でやたらと彩られていて、ファンシーな内装だった。

もう、日が暮れて、遠くの海が赤く色づきだした。

もし、一人でカフェの席にぽつんと座ってる（？）賢スラの背中なんて見たらショックだ。

退屈していたりしないだろうな……。ミユと話が合わずに悲しんでたりしないだろうな……。

私は賢スラに会うのがちょっとだけ怖かった。

「そうじゃの。賢スラを回収せんといかんのじゃ」

「そろそろカフェに戻ったほうがいいね」


だが、カフェは異様な雰囲気になっていた。

賢スラとミユが座っていたテーブル席の周囲がドライアドで埋め尽くされている！

店もかなりにぎやかだ。私たちが最初に来た時より人口密度もはるかに高い。

いったい、何がどうなってる？

キーボードの上を賢スラはなめらかにジャンプしまくっている。

「いや、賢スラ、それじゃ、観念的独我論で奈落の底に真っ逆さまでヤバいじゃん」

ミユが妙に難しいことを言った気がした。

それだけじゃない。周囲のギャラリーからも似たような難しい言葉がいくつも出た。

また、賢スラがジャンプする。

「違うって。それは言語を絶対視しすぎててヤバいでしょ。たとえばさ、カウンターで『果汁』ってミユが言うでしょ。じゃあさ、そこに『果汁をください』って意味があるわけじゃん。でも、『果汁』って単語の中に『ください』って意味は絶対ないわけでしょ。言語の表現には限界があるんだって。使い方の部分に、ヤバいぐらい意味が混じってるんだって」

さらに賢スラがジャンプというか、高速でキーボードの上を動いた。反復横跳びのプロみたいだ……。

私はギャラリーの一人のドライアドに聞いた。

「すいません、今、どうなってるんですか……？」

「お二人の意見に相違があったので、議論を尽くしているところなのですわ」

あっ、この人、お嬢様っぽい口調だったドライアドだ。

「わたくしたちドライアドは、貧富の差や病気といった第一義的不幸がありませんの。だから、空き時間にカフェに集まって、こういう議論をするのが日課になっているんですわ」

古代ギリシャの哲学者の環境みたいになってる！

私は今度は賢スラのほうに声をかけることにした。

「あの～、賢スラ、今はどうなってる？　まだ時間かかりそう？」

賢スラがまた高速でキーボード上を動いた。

「『数日かかる』と言うておるの……」

ベルゼブブがちょっと困った様子で言った。

ミユも頭を上げた。

「あっ、アズサたち、戻ってきたんだねー。ミユたち、話が終わりそうにないから遅くなるかも。終わったら連絡するから。ヤバいぐらい盛り上がっちゃってるからさ。メンゴ、メンゴ」

私はごく当たり前のことを再認識した。

人を見た目で判断してはいけない。

見た目がギャルっぽくても、哲学について語っていいのだ。

「アズサよ、どうする……？」

ベルゼブブが私の顔を確認するように見てきた。

「……賢スラにとったらせっかくの機会だし、この島に来るのも骨が折れるし、賢スラとミユの議論に決着がつくまでは滞在しよっか……」

私たちは賢スラを残して幽霊船でカニ中心の夕飯をとった。

またカニだけだったらうんざりしたかもしれないけど、島で果物や野菜が手に入ったので、バリエーションはかなり豊かになった。

ドライアドたちにとって、果物や野菜を食べるのってどうなのかなと思ったけど、むしろオススメの野菜スムージーなどいろいろもらえたのでありがたかった。

「アズサよ、このスムージー、無茶苦茶美味いのじゃ！」

「だね～。景色も南国のリゾートっぽさもあるし、ある意味これってバカンスなのかも」

到着するのに苦労した分、バカンスを楽しんでもいいよね。

翌日、私もベルゼブブもスケルトンに混じって浜辺で日光浴をしました。

終わり

レッドドラゴン女学院
Red Dragon Women's Academy
スライム倒して300年、
知らないうちにレベルMAXになってました
―スピンオフ―
Morita Kisetsu
森田季節
illust. 紅緒

「あれはライカさんじゃありません？」「やっぱり、歩き方まで洗練されていますわ」「背筋がぴんと伸びてますね」

廊下を歩いていると気恥ずかしい思いをするのも、そろそろ慣れてきました。

だからといって、うれしいわけではないので、やめてほしいですが……やめてほしいと声でもかければ悪化するのはわかっているのでできないのです。

以前、「せめて、我《われ》の前で我の話をするのは控えてもらえませんか」と言ったら、その生徒の方が、

「ああっ！　ライカさんに話しかけられるなんて、光栄です！」

と喜んでしまうという、なんでそうなるのですかという事態になったことがあるのです。

我に注意されるために、皆さんがいよいよ噂《うわさ》話をしてきたのでは本末転倒です。我は諦《あきら》めるしかありませんでした。

と、後ろから小走りでやってくる靴の音がありました。

ヒアリスさんが我の横に並びます。腕には語学の教科書とノートが抱えられています。

「ヒアリスさん、廊下の小走りはいけませんよ。歩くか、安全を確かめてから全力疾走するかのどちらかと校則で決まっています。中途半端は美しくありませんからね」

全力疾走するのは美しいのでＯＫなのです。このあたり、ドラゴンと人間の価値観は違うそうです。もっとも、ほかのドラゴンはレッドドラゴンとはまた別の価値観を持っている可能性もありますが。ドラゴンも種族によってずいぶんと文化が違うのです。

「すみません、廊下にそれなりに人が歩いていた状態で、姉者《あねじゃ》に早く追いつくには小走りしかなかったんです。わたくしなりの熟慮の結果です」

「ヒアリスさんは要領がいいですね。どちらかというと、我の要領が悪すぎるのでしょうか」

「それもありますね。わたくし、前に担任の先生から聞いたのですが、最近では先生方もあまり細かいことで注意をしないようにしているようです。なんでも、今の生徒会長になってから、杓子定規《しゃくしじょうぎ》に言い立てるのではなく、のびのびと生徒を育てるようにしましょうという提案があったとか」

うぅ……。また、姉さんの話ですか。

この女学院に通っている以上、姉さんの話から逃げることはできませんね。

女学院には我のような一年生から、最上級生の六年生までが在籍しています。

といっても、六年間しか女学院にいないわけではありません。

というのも、一学年は十年続きますし、新入生が入学するのも十年に一度だからです。

ドラゴンは人間などよりずっと数が少ないですし、極めて長命なので、毎年入学式をやってもしょうがないのです。なので、十年に一度、一年生が入学するのです。同じ一年生でも数歳の差があるのは当然で、そこを気にする方はいません。

さらに、女学院試験を受けるタイミングもドラゴンごとに違います。姉さんは受けられる年齢になっても、三十年は各地を旅していたと言います。

姉さんがやけにあか抜けたところがあるのも、きっとそのせいですね。いや、これは卵が先か鶏が先かといった問題なのかも。あまりに堅苦しい性格なら、進学しないまま三十年も旅をしたりなどしません。

確実なのは、進学前に多くのものを見聞してきた姉さんは、自分が相手からどう見られるかをよくわかっていて、完璧な生徒会長を務めつつ、そのくせ生徒たちの人気を得られるような政策を取り入れていったということです。

気づくと、ヒアリスさんが、我の顔をのぞき込んでいました。

「我の顔に何かついてますか?」

「姉者は生徒会長のお話をすると、憂鬱《ゆううつ》な表情になりますね。差し出がましいことをお聞きしますが、姉妹仲が悪かったりしますか?」

我はため息をつきました。

「悪くはありません。姉さんも我にはずいぶん甘いです。我のために服を買ってきたりすることも一度や二度ではありませんし、よく髪型の実験台にされます。よくできた姉だと思います」

「そうでしたか。ということは、姉の出来がよすぎるのが重荷ということですね」

ヒアリスさんはぐいぐい聞き出してくるので、もう答えが出てしまいました。

「そうなのでしょうね。比べられたくないと願っているつもりなのに、自分から比べてしまっていたりもしますし……」

きっと、姉さんが悪いのではなく、我と姉さんの相性というものが悪いのでしょう。

立派なドラゴンになるぞと幼い頃から意気込んでいたのに、目の前の姉さんがボスとして立ちはだかっているというのは心苦しいものです。

窓からは火山六合目の、涼しいながらも春の暖かさを含んだ風が入ってきました。

また季節が巡って、春の番になったのです。

我たちが入学してからは五度目の春でした。


この女学院に入ってから、早いもので五年近くが過ぎていました。

我なりの精進のおかげもあって、姉さんの七光りなどとからかわれることは一切《いっさい》ありません。一年生の中で文武両道ともにすぐれた成績ということは見せられていますから。一年生と二年生が合同で行う百人組み手でも我は最後まで残りました。

しかし、同じ一年生からあこがれのような表情を向けられても、やっぱり、そこには「会長の後継者」だとか「会長の妹」といった意味が含まれているのです。

そのラベルとどう向き合っていくか。

女学院の中で我だけが背負う課題は、これからも続きそうです。

と、ヒアリスさんの顔が壁のほうに向きました。

ちょうど掲示板のところでした。

「ヒアリスさん、何か発表でもありましたか？　試験には早すぎると思いますが」

「姉者、そろそろ生徒会選挙ですよ」

掲示板のドラゴンのイラストつきポスターにはこんな文言が躍っていました。

求む、新しくて強い力！
生徒会
役員選挙
立候補は
四月二十日まで！
募集
生徒会長・副会長・
書記・会計・庶務
選挙管理委員会

「……ああ、姉さんが一年生の時からずっと生徒会長を独占している、あの生徒会の選挙ですか」

鏡がなくても我がなんとも言えない顔をしているだろうことはわかっていたので、自分から口に出しました。

「姉者は出馬する気は——ないですよね」

「よくおわかりですね。所属したところで、姉さんにああだこうだ言いつけられるのはわかりきっていますから」

「姉者なら選挙戦でも活躍してくれると思ってましたが、これぱっかりは無理強いできませんね。諦めます」

ヒアリスさんのものわかりもだんだんよくなってきました。

と、我のおなかに異常事態が起こりました。


ぐうぅ〜〜〜〜〜〜。


おなかが見事なほどに鳴りました。

廊下のはるか彼方《かなた》まで届いたのではないでしょうか……。

さっと、ヒアリスさんがパンを出してきました。

「姉者、デニッシュパンです」

我はありがたく、それを受け取ります。

「ありがとうございます。ただ、これでは足りませんので、次の授業が終わったら、すぐに食堂に行くべきですね」

「はい。わたくしも今日は三ドラゴン前は食べられそうです」

我とヒアリスさんは向かい合って、互いにうなずきました。

「では、我はハムとソーセージ、それとスープを二人分とってきます」

「わたくしは、羊肉と鹿肉と牛肉と豚肉の料理を二人分とってきます」

食堂ではチームワークが大切なのです。

◇

その日の食堂も大にぎわいでした。

それでも、我は焦《あせ》りません。確実にハムとソーセージをお皿に入れていきます。

女学院では食事も教育のうち。食事の礼節を学ぶため、高級ホテルのバイキングを模した食べ放題コースが唯一のメニューで、それ以外の注文はできません。

あと、ドラゴンの食事量だと、一人用の料理を作っているのは効率が悪いので、バイキング用に大量に作っておいたほうが安上がりなのだとか。きっと、そちらが本当の理由でしょう。たしかにメニュー表にあるものを片っ端から注文すると、お互いに面倒ですしね。会計処理をスムーズにするためにも、バイキングのみにするというのが正しい戦略です。

我がヒアリスさんととった席に戻ってくると、もうヒアリスさんはお菓子まで二人分確保していました。

「姉者、新商品のクルミのクッキーがあったので、早目にとっておきました」

「ヒアリスさん、お見事です。お菓子系はとくになくなるのが早いですからね」

さあ、おしとやかに肉汁いっぱいのステーキをいただきましょう。

肉汁が飛び散って服にかからないように、できるだけ一口でかぶりつくのがマナーです。ナイフで小さくすると、肉汁が結局、逃げてしまいますからね。

「ライカさん、一口であんなに大きなステーキをたいらげましたわ」「それなのに、少しもがっついた様子がない。素晴らしいです」「お皿にいくつも料理が載っているのに、混ざって汚くなってもいませんわ。料理の配置もよく考え抜いてらっしゃるのよ」

また噂をされていますが、はしたないと見られていないようなので合格とします。

「姉者、やっぱり諺《ことわざ》にあるように、花より食事ですね」

ヒアリスさんももりもりステーキを食べています。話す前にはしっかり呑《の》み込んでいます。もぐもぐしながらしゃべるのはマナー違反です。

「ええ。食事がおろそかになっては何もできませんからね」

――しかし、その日のホームルームで、衝撃的な事柄が発表されたのです。

◇

「大変残念な話と思う方もいるかもしれませんが、バイキングが廃止になりそうです」

担任の先生がそう話しました。

同時にクラス中から悲鳴が起こりました。

「そんな！」「女学院の危機よ！」「神はドラゴンを見放したわ！」

我もこれには黙ってはいられませんでした。

目立ちたくはありませんが、担任の先生に向かって挙手をします。

「はい、ライカさん、何でしょう？」

「先生、バイキング廃止というのは、どのような理由によるものか教えていただけませんか？　たとえば、食堂に関するお金が大きすぎて女学院の経営を圧迫しているとなれば、学費が上がることも覚悟したいです」

ほかのクラスメイトからも「そうよ！」「学費が上がるならアルバイトだってしてします！」という声が続きます。

「経営上の問題ではありません」

担任の先生はおっしゃいました。

「生徒会の一部からこういう声が出ているんです。『生徒たちがバイキングで大量の食事をとるのは、世間体が悪い。以前も見学に来た人間の女学院の視察団が食事風景を見て、呆然《ぼうぜん》としていた』と」

そんな批判が出るのは珍しいことではありません。

人間などの別種族から見れば、我々ドラゴンが恐ろしいほどの食事量であるのは知っています。

しかし、ドラゴン本来の姿はとんでもない巨体。

その体を維持するだけのエネルギーが必要なのです。

クラスメイトの中から「生徒会の一部から意見が上がったとしても、会長その他が意見を却下してくれるはずです」といった声が出ました。

たしかに少数意見なら取り上げられないはずです。

しかし、担任の先生は首を横に振りました。

「会長は、生徒会役員の自主性は認めたいということで、自分からは否定することはないと話しているようなんです。それにもうすぐ選挙が行われるのだから、選挙で戦ってその意見をはっきりとつぶすのが生徒の自治というものだと」

姉さんが言いそうなことだと思いました。

生徒会長とはいえ、自分で仕切るようなことを姉さんはしません。

部下が何かやりたいと言えば、好きなようにやらせるところがあります。

しかし、食堂のバイキングがなくなれば、それは女学院の存亡にかかわります！

生徒の不満の多くは食べ放題によって、解消されて顕在化《けんざいか》していなかったのです。

もし、なくなれば、不満がつのり、女学院が荒れることすらありえます……。

我はもう一つ担任の先生に質問しました。

「あの……これは話しづらいことかもしれませんが、生徒会のどの方がバイキングを廃止すると言っているのでしょうか……?」

「今から配る生徒会広報に書いていますから、それを見てください」

ああ、だから、先生もこんな話をホームルーム中にしたのですね。

広報にはこう書いてありました。

はしたないバイキングはやめよう

談話　生徒会書記リクキューエン

「午前の休み時間の話題は何ですか?」というアンケートをとったところ、最も多かったのが昼食でした。全国のほかの種族の女学院と比べても、異様な数字です。ドラゴンの世界から全世界に羽ばたくような人材を育てる我が校のあり方として、これは看過できない問題です。それにバイキング形式では淑女のためのテーブルマナーもとくに学べません。それならコース料理制を導入するべきです。

リクキューエン、どこかで聞いたことがあると思ったら、入学早々の我がそのスピードにまったくついていけなかった人です。たしかにドラゴンの中でも小柄な姿をしていたような。

一理ありますね……。

バイキングを繰り返しても、マナーには寄与しない気がします。というか、女学院の食堂限定のマナーとして独自進化を遂げて、世間から外れているとは思います。

しかし、一理は一理。

我の理ではじき返すことはできる！


その日の夕方、姉さんが帰宅すると、我はすぐに玄関に出ていきました。

「姉さん、お話がありま――」

「わ～！　わざわざ出迎えに来てくれるなんて、ライカは最高の妹だわ！」

話を切り出す前に、もう抱きつかれていました……。

それに、もっと衝撃的なことを姉さんは耳元で囁《ささや》きました。


「書記のリクキューエンもこれぐらい速いわよ」


もう、我が何を切り出すつもりかわかっているということですね。

「もし、我が生徒会に入れば、バイキング廃止を止められる、せめてリクキューエン先輩に廃止を思い留《とど》まるよう説得することはできますか？」

「自分の意見を通したければ、バイキングを争点にして、ライカが勝てばいいのよ。それが選挙戦の本来のあり方だし。ところで、ライカは制服から部屋着に着替えてもかわいいわね〜。こんな妹を産んでくれた母さんに感謝だわ〜」

真面目《まじめ》な話と、どうでもいい話をつなげないでください。

でも、やるべきことは決まりました。

選挙に「挑戦」して、「勝利」してみせます。それも「成長」の一つなんでしょう。

………でも、バイキングを維持するということを公約にして選挙活動をしたら、あっさり当選しそうですけど……。

◇

「姉者、さすがです！　皆さんの尊敬を集める書記になってください！」

翌日の休み時間、出馬の意図をヒアリスさんに伝えると、我は大絶賛されました。

ちなみに、我は腕を使わない腕立て伏せを行いながら話しています。

「ありがとうございます。もし可能であれば、選挙活動を手伝っていただけませんか？」

「姉者のためだからもちろん協力しますが、わたくしが何をやろうと誤差ですよ。票数が足りずに落ちた事例は過去に皆無のはずです」

「えっ……？　すいません、我は女学院の選挙戦のことを詳しく知らないのですが、教えてくれませんか？」

よく考えたら、それも姉さんから詳しく聞いておけばよかったです。

「女学院では生徒会に入りたいという人は、全校生徒による信任投票を受けます。一人でも投票すれば生徒会に入る権利があるとみなされるので、この時点で落ちることはありません」

「……待ってください。それ、選挙の意味ありますか？」

想像以上にガバガバのシステムに聞こえますが……。

「そこから先が正真正銘の選挙戦です。定員の数に達するまで拳《こぶし》と拳で勝負を決めます。書記の定員は例年四人で全員が信任投票は通過するでしょうから、姉者が正式に加わるには——龍速《りゅうそく》のリクキューエンに打ち勝たないと」

そういうところでは、力が要求されるのですね……。

ですが、わかりやすくはあります。

我の意見か、上級生の現書記の意見か。

勝ったほうが通る。

やってやろうじゃありませんか。

◇

幸い、敵であるリクキューエンさんの戦いぶりを見る機会が近いうちに訪れました。

放課後、我が下校しようと校舎を出たところ、ちょうどリクキューエンさんに勝負を申し込む方が目に入ったのです。

「リクキューエンさん！　あなたの一方的にバイキングを廃止するやり方は許せません！　私と対決して負けたらその公約を撤回してください！」

タイの色からして、その上級生は三年生でしょう。一方、リクキューエンさんは四年生。ポニーテールを風になびかせて、校門と校舎の間にある庭園のベンチに腰掛けて本を読んでいるようでした。

「騒がしい人。読書の時間を中断させるだなんて、無粋も無粋」

本にゆっくりとリクキューエンさんは栞《しおり》をはさみます。

彼女自身は冷静ですが、お付きの左右の妹分たち二人は色めきたっています。姉が勝負を挑まれたとあらば、落ち着いてはいられないのでしょう。今にもドラゴン形態になって飛んでいきそうでした。

ちょうど、下校時間だったので、すぐに生徒たちが集まってきました。我もその中の一人です。いくつか、「バイキング廃止を断固阻止するべきですわ」などという声も聞こえます。

状況からすれば、リクキューエンさんが不利でしょう。

「あなたは小食かもしれないけど、こっちは毎日おなかをすかせているんです。格好をつけて、庭園で詩集でも読んでいるあなたとは違います」

「詩集？　自分が読んでいたのは『増補改訂版　戦略と決断』よ」

かなり硬そうな本でした。

スカートがはためかないように手で押さえつつ、彼女は立ち上がりました。

改めて見ると、リクキューエンさんは本当に小柄で華奢《きゃしゃ》でした。四年生には見えず、女学院志望の少女のようですらあります。あれで生徒会の重鎮など務まるのでしょうか？

体格的には勝負を挑んだ三年生のほうが上でした。

だから自信もあったのでしょう。近くにいた生徒の一人が審判を行うことを宣言し、勝負が開始されると、すぐに飛び込んでいきまし――

次の瞬間には――三年生のところにリクキューエンさんが肉薄していました。

いつのまに⁉

リクキューエンさんは相手の胸をどんと突きました。

「けほっ！　けほっ！」

息が乱れて、その三年生はうずくまって動けなくなってしまいました。

彼女の妹分らしき二年生が助けに飛び出したので、その時点で決着です。

リクキューエンさんの勝利です。

「腕力の大きさを強さと誤解しないように。勝負の前からあなたの息は乱れまくっていた。美しくないのよ。あと、あなたみたいなザコを妹にする気もないから」

あまりにもあっさりとついた戦いに、見物の生徒たちも、しんと静まり返ってしまいました。

あれが生徒会の実力。

敵に何もさせずに勝ちをおさめてしまう。

「ここにいては、いい見世物ね。生徒会室に行く」

リクキューエンさんが妹分にそう告げて、その場を去ったことで、やっと重い空気が少しばかり開きました。

「生徒会は恐ろしいですわね……」「あれが龍速のリクキューエン様のお力……」「バイキングは終了ね」

見物人も寂《さび》しそうに解散していきます。誰もが自分の無力感を味わったことでしょう。

でも、我は彼女に勝たないといけないのです。

「選挙戦の最大の争点は、あの異常な速度ですね」

我は帰宅しても、暇があれば自室や食堂で瞑想《めいそう》によるイメージトレーニングを行いました。

敵はあのリクキューエンさん。短い時間でしたが、彼女が戦ったところはこの目に焼きつけてきました。脳内での対戦は可能です。

――しかし……。

イメージの中の彼女にすら我は一撃も浴びせることができません。

我が攻撃を仕掛けようとした時には、彼女が迫っていて、我を打ち負かします。

「イメージトレーニングをしてるみたいだけど、無駄よ」

食堂でじっと座っていると、部屋着姿の姉さんが入ってきました。

「そういうのは実力差が近い敵と戦う時に意味があるの。ライカが何度やっても、うちの書記四天王の一人には勝てないわ」

「ですね……。ところで、書記って四人も必要ですか？」

「書記をやろうと思う生徒がいて、その生徒に力があるなら拒みはしない。会計だって三人いて、会計三傑《さんけつ》と呼ばれてるわ。定員を決めるのは会長の私だから」

もうちょっとスリム化するべきな気がしますが……。あと、定員も会長の独断で決められるんですね。とんでもない権力です。

「まっ、せいぜい苦しみなさい。果物はきつい生育環境で育ったほうが甘くなるというしね。ライカもっと甘くなるとおいしいよ～」

ぽんぽんと頭に手を載せられました。

くそ～！　いつか姉さんを抜いてやりますからね！

ですが、イメージだけに頼るのは無理があります。

「ほかの手段がいりますね……」


「わざわざ、来てもらってすみません」

「いえいえ、姉者に頼っていただいて、わたくし、妹として光栄です！」

我は近所の公園にヒアリスさんを呼び出しました。

目的は実戦訓練のためです。

龍速を破る方法をなんとしても発見するのです！

「わたくしも以前より強くなっていますよ。肉体破壊のヒアリスの名前に恥じない自信はあります」

「肉離れの威力が上がったのですか？」

「翌日に対戦相手が必ず筋肉痛になるようになりました」

それ、戦闘中は無意味ではありませんか……？　ささやかなイヤガラセにしかなってないような……。

いえ、ほかの人のことに文句をつけている場合ではありません。この壁を乗り越えるのです！

たしかに、ヒアリスさんの動きには今まで以上にキレがありました。

もし、入学当時の我なら、簡単に敗れていたでしょう。女学院で生徒はドラゴンらしい戦闘術を学んで、社会に羽ばたいていくのですね。

ですが、昔より成長したのは我も同じ！

さっと、ヒアリスさんの足をはらいます。

「あっ！　しまっ……！」

ヒアリスさんは下半身に隙《すき》が多いのです。

地面に仰向《あおむ》けに倒れたヒアリスさん。

我もすぐさまマウントポジションをとって、彼女の頭の横に、ばん！　と手を突きます。

「勝負アリですね」

間近のヒアリスさんの瞳《ひとみ》を見つめました。

「あっ……ひゃっ………」

ヒアリスさんは負けを認めず、その代わり目を固く閉じていました。

まだ続行ということでしょうか……？　でも、マウントをとられたその状態からではヒアリスさんもそうそう逆転の芽がないはずで――

いや。

おかしい。

なぜかヒアリスさんの体に隙がないように感じる。

なんでしょうか、これは……。


ここより進むと、お前も戻れないぞと威嚇《いかく》されているような……。


そんな恐ろしさが身に迫ってきます。

でも、彼女は瞳をつぶって、上気させた頰《ほお》をしているだけのはずで……。

どうして、我は攻撃をためらってしまうのでしょうか。そんな逆転の可能性がある特殊な型があるとは思えないのですが……。

我はとにかく、ヒアリスさんから一度、距離を置きました。

このまま戦うことが危《あや》ういと本能で感じたのです。戦闘で直感的にまずいと思ったら、それには必ず従うべきです。女学院の授業でもそう習いました。

それから、ヒアリスさんはゆっくりと体を起こしてきました。

「あっ……姉者、あんなに顔を近づけたらびっくりしますわ……。まだ胸がどきどきしてますからね……」

「ごめんなさい、気合いが入りすぎていたかもしれません」

ヒアリスさんは胸に手を当てて、少し恨めしそうな目をこちらに向けました。

「息を止めて待っていたのに、結局離れるんですもの……」

その時――


我の頭に一つのひらめきが舞い降りました。


「…………え？　今、なんと……？」

「こ、こんなことを二度も言わせるんですか？　息を止めて待っていたんです！　姉者は戦うことと勉強以外はからっきしですね！」

その二つができたら文武両道で文句ない気がしましたが、今はそんなことどうでもいいです。

「練習のお付き合い、ありがとうございました、ヒアリスさん」

「ああ、もう終わりでいいんですか？」

「はい」

我はゆっくりとうなずきました。

「もしかすると、龍速を倒せるかもしれません」

◇

いよいよ、生徒会選挙の投票日がやってきました。

泣いても笑っても、この日ですべてが決まります。

いわば一次審査である信任投票はあっさりパスとなり、我は生徒会書記の有資格者の立場を得ました。

あとは選挙戦の対決でリクキューエンさんに勝つだけ。

対決の場は投票所でもあった体育館で行われることになりました。

すでにリクキューエンさんは腕組みして我を待っています。

「暫定《ざんてい》書記の我が勝ったら、バイキング廃止はなかったことにしてください」

「そうね。あなたが勝てたなら、想《おも》いの強さはそちらのほうが上ということ。すぐ引き下がるから」

我と彼女はにらみ合います。

見物人も多いですが、諦めムードを感じました。

常識的に考えれば、生徒会の人間に一年生が勝てるなどとは思えないでしょう。

審判役として出てきたのは、姉さんでした。

今回も姉さんは生徒会長の座に残ることになりました。姉さんと勝負して生徒会長の座を奪いにいこうとする猛者《もさ》は誰もいなかったのです。

「どちらが書記として残るのか、この勝負で決めてもらいます。よろしいかしら?」

我も彼女もうなずきます。

「よし、はじめなさい。生徒会役員を決めるにふさわしい戦いを見せて!」

生徒会長が腕を振り下ろして、試合開始を告げても――

我はじっとリクキューエンさんをにらみつけます。

リクキューエンさんも構えはしますが、動きません。

お互い、止まったまま、時間だけが過ぎていきます。

彼女の表情がわずかにゆがみました。

「この一年生……。龍速の秘密を……?」

ええ、見抜きましたよ。

圧倒的な速度で敵を叩《たた》き伏せる龍速。その本質は――

敵が息を吸う隙を狙《ねら》う技!

動物は呼吸の際、無意識のうちにわずかな隙が生まれてしまう。

いわばそれは、生をつなぐために避けられない運動。

一騎当千の勇者だろうと、魔王だろうと、そこにだけは例外はない。

その隙に己《おの》が全身全霊で敵に接近し、打ち果たす――それが彼女の生み出した龍速！

ならば、我は無呼吸で戦う！

これこそ、我がヒアリスさんとの実戦訓練で得た答えです。

ヒアリスさんは無防備なはずだったのに、我は攻めに入ることをためらった。

あれは生物にあるはずの隙がなかったからなのです。

「――だから、どうしたの？　息をせずにじっと待つことはできても、無呼吸のまま激しい運動なんてできない。攻め寄せる時にあなたの体は息を欲する。無呼吸で戦える距離じゃない」

リクキューエンさんはいぶかしむような表情で我の目をなおも見つめていました。

「あなたが攻めに転じた時、つけ込むに足る隙が生まれる。そこを龍速が襲う！」

彼女が我の問題を喝破《かっぱ》しました。

ええ、それはおそらく正解なのでしょう。

まさか無呼吸で延々と生徒会役員と戦えるなどとは思っていません。

まして息苦しさで集中力だって奪われる。それだけでは、せいぜい、開戦と同時の敗北を防げる程度の意味しかないでしょう。

ですが、待てますか？

――我がこの場で立ち止まったまま息を吸った隙を前にして。

そう、攻めに転じないうちに、我は呼吸をしました。

その瞬間――

突風が吹いたような感覚がありました。

リクキューエンさんが龍速で迫っている！

もう、動いてきましたね！

ならば、我もそれに応じるのみっ！

「てえぇぇぇぇいっっっ！」

右手で全力の掌底《しょうてい》を打つっ！

無心の、本能の一撃！


我の掌《てのひら》はリクキューエンさんの胸に一撃を決めていました。


「いつ来るかまでわかれば、あとはイメージトレーニングで訓練可能ですから」

迎撃の特訓だけは徹底してやっていましたよ。

「あ……焦りが……身を滅ぼした……か……」

崩れるように、その場に彼女は倒れました。

そう、焦りです。龍速に絶対の自信があるなら、待てばよかったのです。こちらから攻めに向かえば、隙はいくらでもできた。我は龍速を防げなかった。

なのに、あなたは龍速の原理を知った敵が先に仕掛けることが怖かった。

だから、自分から動いてしまった。

我が動く前に息を吸った時に終わらせようと思った。

いつ襲ってくるか知っていれば、この目でとらえられずとも、攻撃を加えることは可能でした。

「戦いがはじまってしまえば、自分を信じ抜くしかないのです。それを疑ったあなたの負けです」

その時——さっと、我の腕が持ち上げられていました。

審判役の姉さんが我の腕を高々と上げていたのです。

「勝者、一年生のライカさん。彼女には書記をやってもらいます」

それと同時に周囲からすごい歓声が広がりました。「バイキングが守られた！」なんて声もします。

でも、姉さんはだいたい余計なことをします。

その場でぎゅっと我を抱擁《ほうよう》したのです。


「おめでとう、ライカ。生徒会にようこそ！」


「あ、あの……なんでこんな……」

また歓声と悲鳴が混じったような声が起きましたが、さっきとは質が違うような……。

「これが私なりの祝福なんだけど？」

「すぐにやめてください！」

「え～？　家ならちょくちょく抱きついてるじゃない」

「家と学校とは違うでしょうが！」

ずいぶんと多くの人の前で我は赤っ恥をかかされることになりました……。

ま、まあ……バイキングを守れたから良しとしましょうか……。

◇

ちなみに我に敗れたリクキューエンさんですが、まだ生徒会に残っています。

姉さんが新たに副書記というポストを作って、バイキング廃止を提案しないという条件でリクキューエンさんをそこに任じたのです。実質、五人目の書記ですね。ポストまで新設できるのだから、会長の権力はすさまじいものがあります……。

試合の後、初めて生徒会室に入ったら、目と鼻の先にリクキューエンさんが現れていました。

「ち、近いです……」

「新書記、今から副書記としてあなたをサポートする。それと、書記の業務もすべて教え込んでいくから覚悟して」

どうやら、この方、ものすごく真面目なようです。

「わかりましたから……少し離れてもらえませんか？」

「でも、これぐらいの距離なら、嫌でもこちらの話に集中できるでしょ？」

いえ、ものには限度というものがあります。香水らしき匂《にお》いもしてきますし、落ち着きません……。

その時、ふとあることに思い至りました。

ヒアリスさんに特訓をしてもらった時、彼女とこれぐらいに距離を詰めてしまったような……。

なるほど。相手がそばに寄りすぎると冷静でいづらくなることがあるんですね……。

節度のある行動を心がけよう。

我はそう心に誓ったのでした。

「はい、書記の手引き。まずはこれを読んで」

我の前に冊子が差し出されました。

「書記としてしっかり働いてもらうから。バイキングを存続させたから辞任なんてことは許さない。

それは美しくないもの」

我はにこりともしないリクキューエンさんの顔を見つめてから、こう思いました。

これでは食べ放題のために、生徒会活動という労働をさせられるということと同じでは？

対戦に勝って、それですべてよしというわけにはいかないようですね……。

お茶とマカロンが我《われ》のテーブルの前に、ことんと置かれました。

「手が止まり気味になっている、書記」

冷たい目のリクキューエンさんがそこに立っています。この方の目が冷たく感じるのは生まれ持ってのものらしいので、いくぶん割り引いて考えないといけないとはいえ、やはり落ち着きません。

「すいません、まだ事務処理に慣れてないもので……。あと、お茶も出してもらわなくてもけっこうですから。あなたのほうが上級生ではないですか」

「自分は副書記だから。書記を補佐するという名目で生徒会に置いてもらえているのだし、やるべきことはやらないと」

涼しい顔でこの方はそんなことを言いました。

もしかすると、巧妙なイヤガラセなのでしょうか……？

ここは生徒会室。

いわば、女学院の心臓部とも言える場所です。

その中で唯一の一年生が我でした。食堂のバイキング存続を懸けて書記の選挙戦をやった結果と

はいえ、荷が重いし肩身も狭いです……。

「ライカも苦しんでるわね。私が会長になった頃のことを思い出しちゃうわ」

会長の机から、声が飛んできました。

この部屋のボスであり、女学院全体のボスでもある姉さんのレイラです。

「そうでしたか？　会長は一年生で会長になった時から、威風堂々としていた気がしますけれど」

姉さんと同じ五年生の、西の副会長、翔撃《しょうげき》のテミヤイヌさんが指摘しました。

三つ編みの女性ですが、その三つ編みが長すぎて床にまで垂れています。

「あら、私も会長になったばかりの頃は右も左もわからないうえに、怖い先輩方がたくさんいたから、小さくなっていたものよ。今でも夢に見るもの」

テミヤイヌさんの言葉にほかの役員たちもくすくす笑いました。

「だったら、その十倍、先輩方はレイラさんの悪夢を見たはずだと思いますわ」

なお、副会長には、西の副会長と東の副会長の二人が存在します。東の副会長は四年生の茜光《せんこう》のセイディーさんと言います。人数が多い生徒会です……。

そこに果物がいっぱい詰まったカゴを持った、庶務の凄狼《せいろう》のエティグラさんが入ってきました。

「皆さん、とってもいいリンゴとブドウが実家に送られてきたんです。よかったらいただきませんこと？」

はなやいだ声がいくつか上がりました。それから、「お茶を用意しなくては」「どうせなら、アップルティーにしましょうか」なんて声が続きます。

そのまま仕事を続けていたのですが、書類をさっとテミヤイヌさんに取り上げられました。

「ほら、新書記さんもお茶の時間を切り詰めてはいけませんわ。心に栄養がいかなければ、いい仕事もできないのですから」

「あ、はい……。それでは参加させていただきます……。では、一年生の我がお茶の用意でも――」

「それは会計の、桐柱《とうちゅう》のトキネンさんがやってくれますから、ゆっくりしていなさい」

そこに「うふふ」「ふふふ」という上品な笑い声が響きます。

このサロンじみた空気はやりづらい！

仕事の能率が悪いのは、我が慣れてないからというのもありますが、一つにはここの空気が事務作業に向いてないというのもあるでしょう。

しかも、皆さんは優雅に時間を過ごしつつも――


それぞれがひりひりするような殺気も放っているのです！


我をお茶に誘ったテミヤイヌさんも、長い三つ編みをモーニングスターのように操《あやつ》って、敵を打ち倒す攻撃を得意としています。

四方八方から何十人が一斉に襲ってきても、あっさりと薙《な》ぎ払ってしまうそうです。

まるで三つ編みが空を舞っているように見えることから、翔撃《しょうげき》のテミヤイヌと呼ばれるようになりました。

皆さんのお茶の用意をしている会計のトキネンさんは、樹木の桐《きり》で作った剣で戦うのですが、その剣が抱えないと持てないほどに太いものなので、桐柱のトキネンと呼ばれています。

この方たちはそれぞれが戦いのスペシャリストなのです。

ぶるぶるっ……。

寒気がします。エルフが猛獣の檻《おり》の中で仕事をするようなものです。

いえ、いいように考えましょう。

この環境は我が成長するうえで、これ以上ない場所。

ここで鍛《きた》えれば、我も立派なドラゴンになれるはずです。

そう思いながら、我はお茶と果物をいただきました。

もっとも、お茶会が終わった途端——

「さて、書記に次の仕事ね」

リクキューエンさんが書類を持ってきました。

「今の仕事もまだ終わってないんですが……」

「複数の仕事を抱えることだってある。慣れなさい」

仕方ありませんね。ひとまず内容を確認して、後回しにできるか確認しますか。

一見して、変な書類だと思いました。

なにせ、書類の書体がやけにやわらかいのです。わざと子供っぽい文字になっています。

そこには、こう書いてありました。

「えんそく?」

「そう、遠足。新人のあなたがやる最初のプロジェクトは、一年生を連れての遠足を無事に成功させること。それは過去の遠足の企画書。それを参考にして、今回用の企画書を作って、会長に提出するように」

「こういう行事は先生方が決めるのでは?」

会長の席から姉さんが「ライカ、うちは自主性の高い校風なのよ」と言いました。

面倒も面倒ですが、我は心を決めました。

この遠足問題もいわば敵。

敵が前に立ちはだかるなら、逃げずに打ち倒すのみです!

◇

地上で、人間が何やらびっくりして騒いでいるのが見えます。

まあ、いいでしょう。ちゃんと人間の役所にも届出をしたはずですしね。

今、我を含むレッドドラゴン一年生たちは、本来のドラゴンの姿になって、上空を移動していました。

目指すはグジョー湖という、低地にある広い湖です。

人間もあまり近寄らないところにあって、なおかつ景色のいいところで、さらにレッドドラゴンが住んでいる土地とは風土も違うので新鮮という、完璧な立地です。

もっとも……我が最初からそこを選んだのではなく、我が出した案が何度も姉さんに突っ返されて、やっとこの場所が通ったというのが真相なのですが……。

いや、別に意地悪ではないはずなんですがね……。「ここだと、人間の役所から許可が下りないからほかにしなさい」とか、「ドワーフがやってる行事とかぶってるからほかにしなさい」とか、まっとうな理由がついていたので。でも、あの姉さんに却下されてると思うと、もやもやするところはあります。

けれど、一年生の皆さんが楽しそうなのでよかったです。

ドラゴンの姿で、飛びながらはしゃいでらっしゃいます。はしゃぎすぎても炎は吐かないでくださいね。

それにしても、このグジョー湖という場所、とてもいいところだと思うのに、よく空いていましたね。

空いているところでないと我たちが遠足に使えるわけがないので、当たり前かもしれませんけど。

グジョー湖のほとりに着くと、我たちは人間の姿に変身しました。

大きな湖とはいえ、ドラゴンの姿では手狭になりますし、何より土地が荒れる恐れがあります。

それで女学院の印象が悪くなると、我が生徒会長である姉さんに叱られてしまいます。

先生は無事にグジョー湖に着いたのを見届けて、女学院に帰ってしまいました。ここからは我が指導をすることになります。女学院は生徒の自主性が極めて強いのです。厳密には生徒会の姉さんの力が強いのかもしれませんが。

諸注意も我が前に立って行わなければなりません。

注目を浴びるのは嫌ですが……仕事だと思えば我慢もできます。

「皆さん、おはようございます。生徒会書記のライカです。少し話を聞いてください」

各所から「一年生唯一の生徒会役員のライカさんだわ！」「本当に凛々《りり》しいお顔立ちね」「いつ見てもお美しいこと」「私たちの代も安泰ですわね」といった声が飛んできました……。

「あの！　余計な私語は慎《つつし》んでください！　今日も授業の一環ですから、節度を守り、木々をなぎ倒したり、森を焼き尽くしたりすることのないようにしてください」

我がそう言っても、あんまり皆さんは静まりません。むしろ、我が何か言うたびに燃料を投下してるように声が増えているような気すらします……。

ううむ、どうすればいいのでしょう。

遠足の出だしから叱るようなことをして、しゅんとさせてしまうのもよくないですし……。

すると、ヒアリスさんが、すたすたと我の横にやってきました。

「みんな、わたくしたちが問題を起こすと、責任者として注意されるのはライカさんなのよ。ライカさんの罪にはしたくないでしょう？　だから、遊ぶのもふざけるのもほどほどにしましょう。よろしいわね？」

すると、また各所から「ライカさんのためなら」「ライカさんを困らせてはいけないもの」といった声が飛んできました。

やっぱり私語をしているので、あまり静かになってはいないですが、意図は伝わったようです。

「とくに炎を吐く時は気をつけて。火事はこの州の法では重罪ですからね。よろしくて？」

こくこくと皆さんがうなずきました。

ちらっと、ヒアリスさんが我のほうを見ました。

それから、小声でこう言いました。

「最後は、姉者《あねじゃ》が解散と言って締めてください」

「あっ……か、解散です！　時間までには戻ってきてくださいね！」

皆さんがぞろぞろとばらけていきました。我の一つ目の仕事は終わりです。

我はヒアリスさんに頭を下げました。

「ありがとうございます。ヒアリスさんのおかげで一つにまとまりました」

「姉者のために働くのは妹として当然のことですから」

ヒアリスさんはドヤ顔をしていました。

ただ、そのあとにすぐ娘に注意するお母さんのような顔になって、

「姉者は人に頼るのが下手です。もう、姉者は生徒会役員という立場にいるのだし、上手に人を使うことを考えないと手が回らなくなりますよ。一人でイメージトレーニングをするのとは違う

んです」

「うっ……。おっしゃることはわかるのですが、人を使うというのに抵抗が……」

「だからといって、今更、姉者が下働きをやるわけにもいかないじゃないですか。これは姉者に課された試練ですよ！　成長のためだとでも思ってください！」

「あれ、なんか我、怒られてます……？」

「そうです。姉者は頼りないところは頼りないんですから。これからも卒業までずっとわたくしが面倒を見ますからね！　じゃあ、行きますよ」

ヒアリスさんは我の手を引っ張ります。

「え、行くってどこにです？」

「どうせ、自分が遊ぶ予定も計画も立てていないんでしょう？」

「それは…………そのとおりです」

遠足の計画のほうで手一杯になっていましたし、なにより、遊ぶってどうすればいいのかよくわからないのです。

「だから、わたくしが遊んであげます。まずは、あっちでボートのレンタルをやっていますから、湖を回りましょう！」

ヒアリスさんは本当に生き生きした顔に変わっていました。

くるくると変化していくその表情は、とても女学院の生徒らしい――我はそんなことを考えながら、どんどんヒアリスさんに引っ張られていきました。

我とヒアリスさんはボートに乗ると、優雅に湖をぐるぐると十五周ほど漕《こ》ぎました。

少しペースが早いかもしれませんが、ドラゴンとしてはこれぐらいが普通です。

「いいですね、姉者。空を飛ぶ時と違って、こうやってゆっくりと風景を楽しむのも悪くないです」

「ですね。天気もよかったですし、ありがたいです」

「きっと姉者の日頃の行いがよかったから、そのおかげですよ」

「ということは、もし、雨だったら我のせいにされていたんですね。危ないところです」

「もう！　素直に喜んでくれないなんて、姉者の意地悪！」

わざとらしく、ヒアリスさんは笑いながら頬をふくらませました。

なんとも、いい時間の過ごし方だなと思います。

我の漕ぐボートは波しぶきを立てながら、湖面を疾走していきますが、景色のほうはほんの少しずつしか変わりません。ほとりのほうでは水鳥が集まっていて、ガアガアと楽しそうに鳴いていました。

「姉者、ボートの次は釣り具を借りて、釣りをいたしましょう」

「我、餌《えさ》にミミズをつけるのが無理ですね……。昔からぬめぬめしたものはどうも……」

「なら、それはわたくしがやります。慣れればどうということはありませんよ。ミミズなんて無力で矮小《わいしょう》な動物です。恐れることはないです。ドラゴンなら、大木ほどの太さのワームだって簡単に倒せるじゃないですか」

「いえ、別に戦って勝てないから苦手なわけじゃないですよ?」

貸しボート屋さんのところで、釣り具も貸し出していました。そのお店がここの湖の観光に関する事業を一手に引き受けているようです。

釣りは人生初でしたが、虹色に体を輝かせたマスが一匹釣れました。

「あっ、釣れました! なかなかの大物じゃないですか?」

「姉者、ビギナーズラックですよ。おめでとうございます!」

「でも……どうやって外したらいいですか……?」

陸地まで引き上げたものの、はねる魚をつかむ気が起きません。

「姉者は魚もダメなんですか?」

ヒアリスさんは腰に両手を置いてあきれていました。

「はい、魚も表面がぬるぬるしているようですから……。ぬるぬるしていると、とらえどころがないと感じるというか……」

「それは屁《へ》理屈ですよね。生理的に受け付けないとおっしゃってくれればいいですよ」

ヒアリスさんは苦笑しながら手際《てぎわ》よくマスを取り外していました。

「意外と姉者もできないことが多いのですね」

「できないことが少ないと自慢したことなどありませんからね」

幼い頃も姉さんにいじられていた気がします。我よりは姉さんのほうがはるかに活動的でした。

たとえは悪いですが、魚のようにぬるぬると人の輪の中に入っていって、すぐ打ち解けるようなところがありました。

「そうですね。それに、わたくしも、姉者がまだ近くにいてくれているようでうれしいです」

不思議なことをヒアリスさんは言いました。

「近くも何も、毎日、女学院で顔を合わせているではありませんか」

「だって、生徒会役員は特別ですから」

ヒアリスさんは寂しげに笑いました。

特別になどなりたくはないです――そう言いたかったですが、役員が特別に見られてしまうのもしょうがない気がしました。

それにヒアリスさんの顔を見ていると、自分が悪いことをしているようで、

「わ、我は……ずっとあなたの姉ですからね！」

我はそう宣言しました。

「……はい、今の言葉、忘れませんからね」


ヒアリスさんは顔を赤くしてうなずいていました。

寂しげな様子はなくなっていたから、よしとしましょう。

釣りが終わったら早いもので、もう昼食の時間でした。

我とヒアリスさんは湖畔《こはん》の芝生の上でランチを広げました。

貸しボート屋さんで焼いてもらったマスもお皿に載っています。

「わたくしは五段組みのランチボックスを持ってまいりました」

「えっ？　五段？　それじゃ足りなくないですか？　ダイエット中なのですか？」

我のランチボックスは母さんが昔使っていたという七段組みのものです。一部に修理を施しているものの、まだまだ丈夫な竹細工です。

「姉者のそばにいるなら、今日はこれぐらいで十分かなと。きっと、おこぼれにあずかれるはずですから」

「おこぼれ？」

ヒアリスさんの言葉の意味はじきにわかりました。

「ライカさん、私の卵焼きどうぞ」「私もウィンナーが余っていまして」

どんどん生徒の方々がおかずを分けに来てくれたのです。

「あの、うれしいのですが……一方的にもらうのは申し訳ないので、せめて我のお弁当からも何か持っていってください……」

「そんなことおっしゃらずに」「この炒《いた》め物は自分で作ったものなんですよ」

我の意見は通らないようで、自分のランチボックスの空きスペースに次々におかずが投入されていきます。

自分のクラスだけならともかく、ほかのクラスの方々までおかずを配る列に並んでいます。

どうしたものかと思っている我の横で、ヒアリスさんはくすくすと他人事《ひとごと》みたいに笑っていました。

「姉者、まるで租税の徴収官ですね」

「たとえが悪いです」

「でも、姉者を慕《した》って差し出してくれているのだから、もらわないと逆に失礼ですよ」

たしかに皆さんはうれしそうにおかずを入れていきます。

「姉者の努力はみんな見ていますよ。今日の遠足の企画だって姉者のものでしょう？」

「我が企画をしたと発表したわけでもないのに、すっかり筒抜けになっていますね」

「皆さん、姉者をねぎらいたいんですよ。その気持ちはもらってあげてください」

こうして感謝されている以上は素直に喜んでおくべきなのでしょう。

「わかりました。少しずついただくとしましょうか」

列の皆さんから、はなやいだ声がしました。


それからしばらく、「我にお弁当のおかずを渡す会」の列が続きました。

最後の一人は「生徒会の方って近づきづらいイメージもあったんですが、ライカさんはとても親しみやすいです」と言ってくれました。

同学年の方に煙《けむ》たがられず、気安い存在だと思ってもらえるなら、我のしていることは正しいのでしょう。

我はその方からも四角いお肉を一切れいただきました。

長く伸びていた列もやっと解消されて、待機している人もいません。

「姉者、お昼は何をします？　ごはんを食べたからお昼寝でもいいですよ。ちょうどいいお天気ですし」

「悪くはないですが、我が寝すぎて、集合時間を守れなかったら、職務怠慢《たいまん》になってしまいますからね」

「じゃあ、わたくしが膝枕《ひざまくら》をしてあげますよ。わたくしが起きているなら安心でしょう」

「膝枕ですか。昔は姉さんにしてもらっていましたね」

「あの会長に膝枕をさせるなんて、姉者はこの世界最大級の権力者ですね」

「やめてください。それに、どっちかというと姉さんが膝枕をするから寝ろと――」

――その時。

よく晴れていた空が突然曇りはじめました。

雲が出てきたのでしょうか？　いえ、すぐにこのあたりにかかりそうな雲は、我々が飛んできた時には目に入りませんでした。

空にいるのはロック鳥の群れ？

いや、あれはドラゴンです。

しかも、青白い肌をしたドラゴンの群れ……。

厄介《やっかい》なことにブルードラゴンではないですか！

ブルードラゴンはレッドドラゴンの天敵で、これまでも何度も襲撃にやってきたことがあります。


その集団は近くに降り立つと、人の姿になってこちらにやってきました。

先頭にいるのは我も知っている顔でした。

ブルードラゴンを束《たば》ねているフラットルテ。

姉さんのライバルのような存在で、二人が争っているのを我も何度か見たことがあります。

逆に言うと、姉さんと張り合っていた相手なわけで、我が勝てるとは思えません……。

「ブルードラゴンの縄張りにレッドドラゴンどもがいると思ったら、どいつもこいつも弱そうな奴《やつ》ばかりだな。あんまり弱くてもつまらないのだ」

なるほど……。ここはブルードラゴンがよく来る場所だったのですね。

人気《ひとけ》がないところだったのもそのせいですか。

レッドドラゴンの皆さんはふるえています。

「フラットルテの姉貴、こんなのとケンカして勝っても自慢になりませんぜ。帰りません？」「アタシらが来ただけで泣きそうだもんな」「しけたツラしてやがる」

情けないですが、本当にそのまま帰ってくれればいいなと思いました。

それなら、一時の不快な出来事で片付きます。

でも、そう上手《うま》くはいきません。

フラットルテが我を見つけました。

「あれ、お前はレイラの妹だな。その制服もレイラが通ってる学校のだ。つまり、こいつらを捕まえれば、レイラもやってくるかもしれないってことなのだ。大抗争ができるのだ！」

「そうか！」「フラットルテの姉貴、知的です！」「その手があったか！」

これはまずい！　このままでは皆さんも巻き込まれてしまいます！

「待ってください！」

我はフラットルテの前に進んで出ました。

「レイラを呼び出すのが目的なら、あなたがレイラの妹である我と勝負して、捕らえでもすれば済むことです。ほかの生徒には手を出さないでください。我々、レッドドラゴンは誇りに懸けて、挑まれた勝負は受けます。しかし、たんなる野蛮なケンカはできません。皆さんをケンカに巻き込まないでください！」

胸に手を当てて、我はそう宣言しました。

新米とはいえ、生徒会役員として皆さんを守らないと！

フラットルテの目をじっと見て、我は同意を引き出しにかかります。

「…………」

フラットルテのこの沈黙は、我の言葉が本当かどうか検討しているのでしょう。

「……………………何を言っているのか難しくてわからないのだ。ケンカはケンカじゃないのか？」

話が通じていません！

「暴れる理由があるから暴れる、それだけなのだ。さあ、お前らもみんな戦うのだ！」

ブルードラゴンの荒々しい声と、皆さんの悲鳴が同時に響きました。

フラットルテはそのまま我のことを見ていました。おかげで不用意に動けません。

「この中ではお前が一番強いな。すぐわかったのだ」

「姉さんの妹だから強そうとでも考えたんですか？」

この方も姉さんのことをずっと追いかけている。

我は姉さんの妹としてしか認識されてないでしょう。

腹立たしくもありますが、実力からすればしょうがないのでしょうか。

「いや、勘だぞ」

「勘ですか！」

「フラットルテ様は勘が鋭いのだ。たとえば分かれ道があって、右に行くか左に行くか迷ったら、勘でどっちか選ぶのだ。五割の確率で当たっているのだ」

「それって一般的な確率では……」

「細かいことはどうでもいいのだ！　ケンカの中のケンカを見せてやるぞ！」

フラットルテが襲いかかってきます。

ケンカというだけあって、動きも無駄だらけ。まるで酔っ払ったゴロツキのようです。

なのに、こちらが攻撃を仕掛けるよりずっと速く、敵のキックが繰り出されました。

行動に無駄があっても、身体の動き自体はかなり速いようです。

我は自分の膝を突き出して、ガードします。

これで受け止めることはできたと思いました。

なのに——

体がぐらつきました。

フラットルテの尻尾《しっぽ》が我のもう片方の足を絡めとるように動いていました！

そうか！　ブルードラゴンは、レッドドラゴンと違って、人の姿をとっている時も尻尾が出ている種族ですからね……。

そこも考慮に入れて、戦わないと！

体勢を崩してからの、踏み込んでの拳《こぶし》ですか？

両腕は使えるからそうあっさりとは喰《く》らいませんよ。

——と思ったら、フラットルテの口が開きました。

真冬のような吹雪《ふぶき》が体に直撃しました！

コールドブレスを至近距離で吐かれた！　寒冷地に住むブルードラゴンの得意技です！

くっ……。体がかじかんで動きが鈍《にぶ》る！

「おい、どうした、どうした？　もっと攻撃してこないと面白《おもしろ》くないぞ！」

そこを立て続けに何度も蹴《け》られました。

どうにか一度距離をとりましたが……序盤から押されていますね。

「ふん、お前らレッドドラゴンはケンカにしょうもない理由をつけすぎなのだ。人間のしょうもない文明を受け入れてひ弱になったんじゃないか？　ケンカはケンカなのだ。ケンカに余計な要素を入れるから勘が鈍る。その証拠にあの尻尾も、コールドブレスもかわせなかったのだ」

「くっ……。無駄が多いはずなのに、油断しました」

「無駄などないぞ。フラットルテ様は自分が一番いいと思う攻撃をやってるだけだ。それでブルードラゴンの中でのし上がったのだ」

その言葉には、妙な説得力がありました。

もしも、自分の信じる道が最も効果的な選択になりうるほどにケンカ慣れしているとしたら——

それはケンカというすぐれた戦闘の型になりうる！

この人は勘を研《と》ぎ澄ませて、敵を凌駕《りょうが》してきたのか！

でも、敵に型があるなら、これは勝負。


たんなるケンカではなく、ケンカという武術との勝負！

挑戦を受けて勝利し、成長してやります。

「おっ、目の色が変わったな。昔のレイラみたいな目だぞ」

「あまり姉さんのことばかり考えていると、雑念に足を引っ張られますよ」

我の言葉になぜかフラットルテはくすりと笑いました。

「心配しなくても目の前にいる敵のことしかフラットルテ様は考えないぞ。今度戦う奴のことを考えながら、戦ったりしないのだ」

「じゃあ、我に負けても言い訳できませんね！」

次は我のほうから突っ込んでいきました。

ここから仕切り直しです！

向こうがケンカ戦法だとしたら――

我は今までつちかってきた戦闘の技術をすべてつぎ込む！


勝負はほぼ互角というところまで来ましたか。

我の攻撃もいくつか当たっています。フラットルテは守りもいいかげんで防御が完璧とはとても言えません。

でも、互角は言い過ぎですか……。我のほうが押されていますね。フラットルテは自分が攻撃を受けるのも気にせず、こちらに攻めかかってきます。

それに邪魔なのが、あの尻尾。

あれはレッドドラゴンにはないものです。一対一のようでも、接近しているとあれがフラットルテの手足とは別に攻めてくるので、疑似的に数で劣っているような気にさせられます。

このまま長引けば我が先に力尽きる……。

「さっき、雑念がなんだと言っていたな」

あざけるようにフラットルテが口にします。

「そのセリフ、そっくりそのままお前に返すのだ」

「どういうことです？」

「お前は仲間のレッドドラゴンのことばかり考えてる。その雑念のせいで動きに遅れが出ているのだ！」

見抜かれていましたか。

そのとおり。至るところで皆さんの声が聞こえてくるこんな環境で、無心に戦えるわけがない。

しかも我は一年生唯一の生徒会役員なのです。皆さんを守る責任がある……。

「ふん、余計なものを背負って、かえって弱くなるなら、何をしているかわからないな」

またバカにされています。

「とらわれている奴より、自由なフラットルテ様のほうが強いのだ！」

また、フラットルテが突っ込んできます。今度はコールドブレスですか？　それとも拳ですか？

拳と同時に尻尾が殴打に来ました！

「同時攻撃だ！　やりたいことは全部やるのがフラットルテ様流なのだ！」

おかげでふところに入り込まれました。

フラットルテはコールドブレスを我に直撃させます。

これまでで最も至近距離からの猛吹雪！

急激に手の感覚がなくなっていきます。しまった……。ここで体がかじかんでしまったら、そのまま押し切られる……。


「姉者、わたくしたちを舐《な》めすぎですよ！」


叫びが我の耳に届きました。

それはヒアリスさんの声。

戦闘中にもかかわらず、我のほうを訴えるように見つめていました。

「わたくしたちも女学院の生徒。誇り高きレッドドラゴン！　この程度の困難、乗り越えてみせます！　だから姉者も全力で戦って勝利してください！」

「そうですわ！」「私たちは負けない！」「レッドドラゴンはくじけない！」

そんな声が四方八方から聞こえます。

ああ、ごめんなさい。

皆さんを勝手に荷物にしていました。

みんな、誇るべきご学友ではないですか。

それにまずは我が自分のことをどうにかしないと、ほかの人を背負うことだってできない。

眼前の敵に集中しましょう。

「姉者、わたくしたちも必ず勝利してみせます！　こちらの心配は一切ご無用です！　むしろ、失礼というものですよ。全身筋肉痛にさせますからね！」

ヒアリスさんの声が私を冷静にさせてくれました。

「こんなに味方がいるのですから、負けるわけがありませんね」

我はコールドブレスを受けながら――そのまま息のほうへと突っ込んでいきます！

「なっ！」

フラットルテが驚嘆《きょうたん》の声を出して、コールドブレスを止めました。

まさか息のほうに向かってくるとは思っていなかったでしょう。

我も勘を信じました。

あなたを一番攻められる方法を選ぶ！

それが非常識でも信じ抜く！

我は至近距離で炎を噴きかけます。

やられたら、やり返す！

「くそっ！　熱い！　熱いのだ！」

あまりにも単純な発想がフラットルテの隙《すき》を突きました。

我は手を止めずに殴りかかります。

尻尾の打撃を受けますが——気にせず、拳を打ち込む！

ケンカなのですから、自分が傷を受けるぐらいはかまいません。

敵にそれよりもダメージを与えられれば、それでいい！

痛くはありますが、いけるという感覚がありました。

空気が変わっています。

追い風が吹いている。

これは多人数同士の戦いです。多くの人間の思惑が絡みます。

もし我々レッドドラゴン全員が自分が押していると考え、ブルードラゴン全員が押されていると考えたとしたら——

それは本当に形勢を逆転させてしまう！

我も好きなように戦います。

炎を吐きながら、同時にキックを繰り出す。

視界が炎でさえぎられるし、非効率的です。そんな戦い方をするレッドドラゴンはケンカ中の子供同士ぐらいしかいないでしょう。

でも、それを予測できなかったフラットルテは我の攻撃を防げない！

「くそっ！　無茶苦茶なのに面倒くさいな！」

フラットルテが弱音をもらしました。

もう、あとは押して、押して、押すだけ！

「完全に凍結させてやるのだ！」

フラットルテがコールドブレスを吐くのがわかりました。

その瞬間、我は思い切り、地面を蹴る。

黒い土がフラットルテの口に入りました。

「ぷえっ！　ぷえっ！　何をしやがるのだ！」

「ケンカにはルールもありませんから！」

我はフラットルテの戦意が萎《な》えたところに殴りかかります。

左手で腕をつかんで、右手で打撃を加える。

これが我なりのケンカ戦法です！

「くそっ！　やめろ、やめろ！」

「やめるわけがないでしょう！」

我が敵のリーダーに攻め入っている様子は、皆さんにもわかったようです。

「いけますわ！」「負けてたまるか！」「どこかヘルプが必要なら行くよ！」

確実に流れはレッドドラゴン側に来ている！　皆さんがさらに健闘しだしたのがわかりました。

やがて、ブルードラゴンの中から撤退を提案する声がいくつか出てきました。

場所によっては、皆さんが上手に二対一や三対二になるように組んで、敵と戦っていました。ケンカなのだから、一対一である必然性はどこにもありません。

「くそっ！　つまらないから帰るのだ！　お前ら、行くぞ！」

ブルードラゴンたちはドラゴンの姿になって、フラットルテを先頭に去っていきました。

レッドドラゴン側の勝利です。


「どうにかなりましたね……」

我は芝生に座り込んで、ため息をつきました。

炎を吐きすぎたから、口の中がちょっと熱いです。

そこに皆さんがぞろぞろとやってきました。

ケンカがあったのですから、制服も汚れていたり、破れたりしています。

女学院の生徒としてははしたないと叱られてしまうでしょう。

でも、誰しも誇らしい顔をしています。

ヒアリスさんが前に出てきました。

「姉者、わたくしたちも強くなっているんですよ。よ～くわかったでしょう？」

「はい。今後ともお力添えをお願いします」

「でも、わたくしたちが勝ったのは姉者のおかげですから」

ぐいっとヒアリスさんは我の手を引っ張りました。そのまま、我は「おっとと……」と立ち上がります。

「さあ、今から胴上げです！」

ぞろぞろと我を一年生の皆さんが囲みはじめます。

「へっ？　そんなこと、聞いていませんよ……？」

「言ってないから当たり前です！」

「ライカさん万歳！」「ライカさん最高！」「一年生の星、ライカさん！」

我はなぜか胴上げをされていました。ドラゴンの胴上げなので、我はそのあたりで一番高い木のあたりまで上がっていました。

人の姿でこんなところまで上がるのは久しぶりかもしれません。

心がふっと解放されたような気がします。

「うん、今日はずっといい天気でしたね」

我は自分の体がてっぺんに上がったあたりで、そうつぶやきました。

終わり

あとがき

お久しぶりです！　森田季節《もりたきせつ》です！

十二巻ですね。一ダースですね。森田の部屋を既刊が占拠しております。

この本を（電子媒体ではなく書籍のほうで）買ってくださっている方の部屋もけっこう占拠してしまっているかと思います。拙著のためにスペースを使ってくださって、本当にありがとうございます。

さて、今回もいろいろと話題があります。

まず一つ目。アニメ制作進行中です！

まあ、前の巻が出た時にアニメ化決定と公表したので当たり前なんですが。いろいろと仕込んでおります！　スケジュール的なことや具体的にどんな作業を進めているかは書けないのですが、ものすごく抽象的に話すと、アニメという仕組みを使わないとできないネタなどがあります。

本当に抽象的すぎる……。いずれ語れるようになると思いますので、もう少しお待ちください！

とにかくいろいろとやってます！

今巻ではドラマCD第四弾がついている特装版が同時に発売されています。

このドラマCDで――

ロザリー役の杉山里穂《すぎやまりほ》さん、
フラットルテ役の和氣《わき》あず未《み》さん、

――の声が初めて公開される形となりました！

もちろんアニメでもお二人の声は聞けますが、それまで待てないという通常版をご購入の方は次のドラマCD第五弾をゲットしてください。

ということは……そう、ドラマCD第五弾の制作が決定いたしました！

第五弾は二〇二〇年十月発売の十四巻の特装版についてきます！

このドラマCD第五弾は、魔王ペコラが登場します！　というか魔王ペコラが何か企《たくら》む話となっております！

さて、察しのいい方はこの文脈で気づかれたかと思います。

そう、まだペコラの声優さんは発表されていませんよね。

いったい誰なんでしょうか！　興味ある方は次のドラマCD第五弾をゲットしてくださいね！


続いてコミカライズに関してです。

現在、シバユウスケ先生のコミカライズが六巻まで発売しております！

また村上《むらかみ》メイシ先生が描いてくださっているスピンオフ「ヒラ役人やって１５００年、魔王の力で大臣にされちゃいました」のコミカライズも二巻まで発売しております！　いつも思ってるけどタイトルが長い！　よろしくお願いいたします！

そして、なんと、なんと――

ほかのスピンオフのコミカライズも決定いたしました！

「レッドドラゴン女学院」のコミカライズもやります！　ババーン！

作画は羊箱《ひつじばこ》先生！　二〇二〇年春～初夏頃に連載開始予定です！

またスライムの世界が広がっていきます！　ぜひともこちらも応援いただけましたら幸いです！


次は主に森田本人がうれしいことです。

スライムの小説十巻が重版しました！

二桁の巻の本が重版したのは人生で初です。本当に本当にありがたいです。

本というのは重版しなくても需要と供給が一致するような数を予想して印刷します。それで、一巻や二巻だと予想以上に売れたぞということも起こりやすいので重版が発生することも割とあります。

ですが、巻数が増えれば増えるほど購入してくださる読者の数も予想がたちやすくなります。「このシリーズを七巻から買うぜ！」という人はあまりいないので。ということは巻を重ねれば重ねるほど、重版される可能性も減ってくるわけです。

つまり……十巻が重版したというのは、本当にすごいことであり、うれしいことなんです！　説明が長くなりましたが、とりあえず作者はやけに喜んでおります！


最後にこの巻の謝辞を。

紅緒《べにお》先生、今回もとんでもなく素晴らしい表紙イラスト、本当にありがとうございました！　作品内容がゆるいのに表紙が感動巨編みたいになっていて、どんどん表紙詐欺《さぎ》みたいになっているのですが、急にゆるくない世界観になっても大問題なのでこのままいきたいと思います。そして今回、新キャラが多くてお手数をおかけいたしました……。多分、これからも増えると思いますが……よろしくお願いいたします！

読者の方も本当にありがとうございます！　十二巻まで追ってくださっているなんて、どんだけお礼を言っても本当に足りないです。コミカライズが増えてきて、スライムの発表の場が広がっているので、原作でも今回の幽霊船みたいないろんな新しい場所を出していければと思います。

次は十三巻でお会いしましょう！

森田季節

GAノベル

スライム倒して300年、知らないうちにレベルMAXになってました12

2020年4月30日　初版第一刷発行
2020年12月25日　第二刷発行

著者　森田季節

発行人　小川 淳

発行所　SBクリエイティブ株式会社
〒106-0032　東京都港区六本木2-4-5
03-5549-1201　03-5549-1167（編集）

装丁　AFTERGLOW

印刷・製本　中央精版印刷株式会社

ISBN978-4-8156-0559-9
Printed in Japan

ファンレター、作品のご感想をお待ちしております。

〒106-0032　東京都港区六本木 2-4-5
SBクリエイティブ株式会社
GA文庫編集部 気付

「森田季節先生」係
「紅緒先生」係

本書に関するご意見・ご感想は
下のQRコードよりお寄せください。
※アクセスの際に発生する通信費等はご負担ください。

https://ga.sbcr.jp/